Date Due

JOURS SANGLANTS

LA GUERRE

1914-1918

DU MÊME AUTEUR

JACQUES CHASTENET
DE L'ACADÉMIE FRANÇAISE
DE L'ACADÉMIE DES SCIENCES MORALES ET POLITIQUES

OURS SANGLANTS

LA GUERRE
1914-1918

HACHETTE

AVANT-PROPOS

CINQUANTE ANS *se sont écoulés depuis qu'éclata la première guerre mondiale... Au cours de ce demi-siècle, le rythme de l'Histoire s'est prodigieusement accéléré, et le monde a peut-être plus changé en profondeur qu'il n'avait fait depuis la Renaissance et la découverte de l'Amérique.*

Si la guerre de 1914-1918 n'avait pas eu lieu, la poussée démographique et la révolution technique n'en eussent pas moins provoqué de grands bouleversements. Mais le sens de ceux-ci eût sans doute été différent.

Comme Lyautey l'avait dès le début pressenti, cette guerre fut véritablement une « guerre civile » dont l'Europe sortit déchirée et à jamais déchue de sa prépotence. Rappelons seulement trois événements majeurs : en 1917 la Révolution soviétique et le défi jeté par le Communisme à l'ordre capitaliste; en 1917 également la première grande intervention des États-Unis dans les affaires européennes ; en 1919 le réveil du continent asiatique à la suite du signal donné par la Turquie kémaliste.

La seconde guerre mondiale ne fut qu'une conséquence de la première. Le vide laissé au milieu de l'Europe par l'éclatement de cette Société des Nations au petit pied qu'était l'Autriche-Hongrie ; le long effacement d'une Russie en proie à des expériences sanglantes ; l'existence d'une Allemagne toujours virtuellement très forte, mais humiliée, aspirant à la revanche et se jetant finalement dans les bras d'un thaumaturge ; le retour de la Grande-Bretagne à une conception purement insulaire de ses intérêts ; le repli des États-Unis sur eux-mêmes et leur abandon d'une construction internationale qui était pourtant en grande partie leur œuvre ; l'affaiblissement, tant moral que matériel, d'une France saignée

*à blanc et ne parvenant pas à récupérer ses énergies perdues :
tout cela, joint à un profond déséquilibre économique et
financier ainsi qu'au heurt furieux des idéologies, engendra
un désordre d'une ampleur telle qu'un cataclysme devait
obligatoirement finir par en être l'effet.*

*Si mélancolique que l'évocation du premier conflit
mondial puisse sembler à ceux qui ont encore le souci des
valeurs occidentales, cette évocation ne laisse pas de faire
battre le cœur des Français qui vécurent les quatre dramatiques années et de susciter chez eux, les deuils et les colères
étant refoulés dans l'ombre du passé, des réflexes de fierté.*

*Unanimité, aussi admirable qu'inattendue, lors de la
mobilisation ; immense soulagement causé par la victoire
de la Marne ; saine camaraderie des tranchées; horreurs
héroïquement affrontées de l'enfer de Verdun ; griserie des
journées de l'Armistice et du défilé de la Victoire : autant
d'images qui font partie du patrimoine national et dont ni
les courbes statistiques, ni les considérations de haute politique ne sauraient faire oublier l'éclat.*

*Ce petit livre n'a d'autre prétention que de rappeler les
traits essentiels d'une tragique aventure qui fut une catas-
trophe pour l'Europe, mais dont la France tira, dans l'immédiat, une gloire incontestable.*

CHAPITRE PREMIER

LE DRAME

AU DÉBUT DE 1914, L'ATMOSPHÈRE INTERNATIONALE EN APPA-
RENCE CALME. ‖ CAMPAGNE MENÉE CONTRE CAILLAUX. ASSAS-
SINAT DU DIRECTEUR DU « FIGARO » PAR MADAME CAILLAUX. ‖ LES
ÉLECTIONS LÉGISLATIVES FRANÇAISES D'AVRIL-MAI 1914 SUCCÈS
POUR LES GAUCHES. ‖ DÉMISSION DU MINISTÈRE DOUMERGUE.
RIBOT AYANT ÉCHOUÉ, VIVIANI CONSTITUE UN GOUVERNEMENT. ‖
ASSASSINAT A SARAJEVO DE L'HÉRITIER DU TRONE D'AUTRICHE-
HONGRIE. LE GOUVERNEMENT DE VIENNE, ASSURÉ DE L'APPUI
ALLEMAND, VOIT LA UN PRÉTEXTE A ÉCRASER LA SERBIE. ‖ LE
GOUVERNEMENT RUSSE DÉCIDÉ A S'Y OPPOSER. ‖ VOYAGE OFFICIEL
DU PRÉSIDENT POINCARÉ EN RUSSIE. ‖ A PEINE S'EST-IL REMBAR-
QUÉ QUE L'AUTRICHE-HONGRIE SIGNIFIE A LA SERBIE UN ULTIMA-
TUM. LE GOUVERNEMENT SERBE EN ACCEPTE TOUS LES POINTS
SAUF UN. VAINES TENTATIVES DE MÉDIATION. ‖ L'AUTRICHE-
HONGRIE DÉCLARE LA GUERRE A LA SERBIE. ‖ RÉSOLUTION DE
L'OPINION FRANÇAISE. ‖ LA RUSSIE, QUI A DÉJA DÉCRÉTÉ UNE
MOBILISATION PARTIELLE, DÉCIDE, SANS L'ASSENTIMENT PRÉALA-
BLE DE LA FRANCE, LA MOBILISATION GÉNÉRALE. ‖ LE CONFLIT
AUSTRO-SERBE S'ÉTEND A L'EUROPE ENTIÈRE. ‖ MOBILISATION
GÉNÉRALE AUTRICHIENNE, « ÉTAT DE DANGER DE GUERRE » EN
ALLEMAGNE. CELLE-CI DÉCIDÉE A ATTAQUER LA FRANCE. ‖
ASSASSINAT DE JAURÈS. ‖ MOBILISATION GÉNÉRALE SIMULTANÉE
EN FRANCE ET EN ALLEMAGNE. ‖ LA NATION FRANÇAISE RÉPOND
UNANIMEMENT A L'APPEL. ‖ L'ALLEMAGNE DÉCLARE LA GUERRE
A LA RUSSIE, PUIS A LA FRANCE. ‖ LA VIOLATION DE LA NEUTRA-
LITÉ BELGE DÉCIDE LA GRANDE-BRETAGNE A INTERVENIR. ‖
POINCARÉ PROCLAME L'«UNION SACRÉE ». ‖ CAUSES DE LA PREMIÈRE
GUERRE MONDIALE : RESPONSABILITÉS IMMÉDIATES, CAUSES DI-
PLOMATIQUES, CAUSES ÉCONOMIQUES, CAUSES PSYCHOLOGIQUES. ‖
LE CRÉPUSCULE DE LA PRÉ POTENCE EUROPÉENNE.

L E 1ᵉʳ JANVIER 1914, présentant ses vœux au président
de la République, Raymond Poincaré, le jovial Sir
Francis Bertie, ambassadeur d'Angleterre et doyen
du corps diplomatique, déclare : « L'année qui vient de

s'écouler a vu se rétablir la paix, et tout nous permet d'espérer qu'elle ne sera plus troublée dans l'année qui commence. »

On peut croire en effet qu'à la tempête a succédé une bonace : les combattants balkaniques pansent leurs plaies ; on ne prête guère attention au mauvais accueil que les Albanais font au prince de Wied, ce monarque falot qui vient de leur être imposé ; c'est dans le silence que les grandes puissances perfectionnent leurs dispositifs militaires et navals ; rien ne transpire des conversations que Moltke, chef du Grand État-major allemand, a avec son collègue autrichien Conrad de Hoetzendorff ; on soupçonne à peine l'action souterraine que les sociétés secrètes serbes poursuivent auprès des Slaves peuplant le sud des États habsbourgeois ; seule la vive campagne que plusieurs journaux d'Allemagne et d'Autriche-Hongrie mènent contre la Russie peut donner à penser que le feu couve toujours sous la cendre.

On se détend, et pendant quelques jours les Parisiens s'entretiennent surtout du ruban de la Légion d'honneur enfin accroché sur la poitrine vieillie de la grande actrice Sarah Bernhardt. On parle aussi de la fermeture du *Café Anglais* et de la prochaine canonisation de Jeanne d'Arc. La foule se précipite vers les salles obscures où, sur l'écran, se déroulent les aventures de *Fantômas*. Au théâtre du Vieux-Colombier *La Nuit des Rois* de Shakespeare, au théâtre de l'Œuvre *L'Otage* de Claudel, à l'Opéra *Le Chevalier à la Rose* de Richard Strauss connaissent de belles soirées. Anatole France publie sa *Révolte des Anges* où l'on retrouve tout le scepticisme manichéen de l'auteur, et André Gide donne ses *Caves du Vatican*, dont le héros, champion de « l'acte gratuit », engendrera une nombreuse postérité. En février Paul Déroulède, l'ancien président de la Ligue des Patriotes, le porte-drapeau du nationalisme, meurt sans avoir vu la Revanche, espoir de sa vie : cent mille personnes suivent son cortège funèbre.

Le monde parlementaire s'est replongé dans les querelles de politique intérieure. Au Palais-Bourbon on bataille autour de la défense de l'école laïque. Au Luxembourg Caillaux, ministre des Finances, s'efforce d'arracher aux sénateurs le vote de l'impôt général sur le revenu, et son insistance hautaine lui vaut de nouvelles inimitiés. Elles s'exaspèrent quand le ministre annonce son intention d'équilibrer le budget de 1914 (dont la discussion n'est pas commencée) à l'aide d'un impôt progressif sur le capital. Le journal *Le Figaro* en particulier, dont le directeur est l'aimable boulevardier Gaston Calmette, prend quotidiennement Caillaux à partie.

Cette campagne s'est d'abord référée aux pourparlers qu'en 1911 l'impétueux homme d'État a menés avec l'Allemagne par-dessus la tête du ministre des Affaires étrangères. Puis elle a révélé la protection dont il avait, quelques mois auparavant, couvert devant la justice un financier véreux du nom de Rochette (ce Rochette était commanditaire du journal radical *Le Rappel*). Enfin, le 13 mars, *Le Figaro* reproduit une lettre écrite par Caillaux à sa seconde femme alors qu'elle n'était que sa maîtresse, lettre qui contient un passage politique fort embarrassant pour le signataire.

Le ménage a des raisons de penser que Calmette détient d'autres lettres intimes plus fâcheuses encore. Caillaux s'exaspère ; Mme Caillaux s'affole et, le 16 mars, s'étant fait recevoir par le directeur du *Figaro*, elle l'abat de six coups de revolver. Elle est aussitôt arrêtée.

Immense stupeur à laquelle succède un déchaînement de passions. Caillaux doit abandonner son portefeuille. Le ministère, que préside Gaston Doumergue, est remanié. A la tribune de la Chambre, Barthou lit une note émanée du procureur général près la Cour de Paris dans laquelle celui-ci relate la pression dont il a été l'objet à l'occasion de l'affaire Rochette ; les polémiques font rage ; retrouvant son vitriol d'autrefois, Maurice Barrès fait paraître, sous le titre *Dans le Cloaque*, une série d'articles vengeurs. Dans les réunions politiques, dans les rues, dans les salons, on prend violemment parti pour ou contre la meurtrière. Jours de l'affaire Dreyfus, êtes-vous revenus ? A peine prête-t-on attention aux opérations de pacification menées au Maroc autour de la « tache » dissidente de Taza et qui aboutiront bientôt à sa complète réduction.

L'effervescence se calme un peu en l'honneur du roi d'Angleterre George V qui, venu officiellement à Paris, y est acclamé. Sir Edward Grey, chef du *Foreign Office*, qui accompagne les souverains, notera : « Tous ces gens qui jouissaient de cette belle journée d'avril, pourquoi eussent-ils souhaité de troubler la paix ? »

L'agitation reprend à l'occasion de la campagne précédant les élections dont les deux tours ont été fixés aux 26 avril et 10 mai. (Le Sénat s'étant obstiné à repousser la réforme électorale, c'est encore selon le système du scrutin d'arrondissement majoritaire qu'on va voter.) La bataille, très âpre, se livre entre, d'un côté la « Fédération des gauches », organisée par Briand et Barthou pour grouper les partisans d'une politique de détente et d'union, de l'autre les socialistes et les radicaux restés fidèles au *credo* : « Pas d'ennemis à gauche. » Elle est menée sur le double terrain de la loi de trois ans et de l'impôt général sur le revenu, les hommes de gauche accusant leurs adversaires de grossir le péril extérieur pour détourner l'attention publique de la réforme fiscale.

Si spécieux soit-il, l'argument porte ; la majorité des électeurs, encore que patriote, n'entend point que le patriotisme serve à couvrir un intérêt de classe ; la vieille crainte de la « réaction » se réveille. D'autre part, si les principaux journaux parisiens sont favorables à la politique dont le président Poincaré est le symbole, en revanche plusieurs des grands organes provinciaux, et notamment la puissante *Dépêche de Toulouse*, lui sont nettement contraires. Enfin le ministre de l'Intérieur, Jean-Louis Malvy, radical-socialiste d'un anticléricalisme agressif, est bien loin d'avoir donné aux préfets les consignes conciliantes que Briand leur avait signifiées en 1910.

Bref, la « Fédération des gauches », dont la position était un peu en porte à faux, sort des urnes battue : les radicaux-socialistes gagnent 23 sièges et les socialistes 29 (voyant ainsi l'effectif de leur groupe porté à 102 députés), les partis du centre sont en léger recul, la droite éprouve de lourdes pertes. D'une manière générale les positions sont beaucoup plus marquées que quatre ans auparavant. Fait significatif : en dépit des attaques furieuses dont il a été l'objet, en dépit du meurtre commis par sa femme, Caillaux a été réélu à Mamers.

Le ministère, incontestablement orienté à gauche, n'a pas été atteint par les élections. Mais son chef, le madré Doumergue, redoute les difficultés qu'en face d'une situation internationale toujours inquiétante ne vont pas manquer de lui créer les tendances de la nouvelle Chambre. Peut-être aussi a-t-il des motifs de craindre qu'une campagne de presse ne s'ouvre contre lui, rappelant celle dont Caillaux a été l'objet. A la fin de mai, sans avoir pris l'avis de personne, il apporte à l'Élysée la démission du cabinet.

Elle plonge Poincaré dans la perplexité. Les élections ont été un succès pour les adversaires de la loi votée péniblement l'année précédente et qui a porté de deux à trois ans la durée du service militaire actif. Or, le président est plus que jamais résolu à en assurer coûte que coûte le maintien. Comment constituer un gouvernement acceptant de la sauver, et tel en même temps qu'il puisse à la Chambre recueillir une majorité ?

Après quelques hésitations, Poincaré s'adresse à René Viviani.

Viviani est un socialiste indépendant de tendances avancées. Paresseux, aisément surexcité et totalement dépourvu de tenue, il possède en revanche une belle intelligence et un don oratoire presque prodigieux. Ayant voté contre la loi des trois ans, il se rend maintenant compte des dangers qu'entraînerait son abrogation immédiate. Il accepte la mission offerte mais, devant les obstacles qu'il rencontre, il renonce au bout de deux jours à la mener à bien.

En désespoir de cause, et sur le conseil de Doumergue lui-même, Poincaré se tourne vers Alexandre Ribot. Grand parlementaire, grand libéral, Ribot siège au centre droit et comme tel paraît peu indiqué pour prendre le pouvoir dans ces circonstances. Mais sa longue expérience politique, son immense culture, son lumineux talent de parole, la dignité de sa vie lui confèrent un prestige devant lequel on peut espérer que l'assemblée s'inclinera. Il n'aime pas beaucoup Poincaré — il aime peu de gens — ; toutefois la gravité de la situation le décide à tenter de le sortir d'embarras.

Son cabinet est formé le 9 juin. Ont accepté d'en faire partie deux personnalités d'importance : Léon Bourgeois et Delcassé (ce dernier a, au début de l'année, quitté l'ambassade de Pétersbourg où il a été remplacé par Maurice Paléologue, diplomate de carrière et ami personnel de Poincaré).

La rencontre avec la Chambre a lieu le 12. Aussitôt des clameurs furieuses s'élèvent sur les bancs de la gauche. En dépit de ses soixante-douze ans Ribot tient tête. Mais les passions électorales sont encore trop violentes pour que

la majorité puisse entendre la voix de la raison : dès la
première journée le ministère est renversé.

Après avoir un instant balancé à se démettre, Poincaré
se résigne et convoque de nouveau Viviani. Cette fois ce
dernier aboutit et, le 14 juin, son équipe ministérielle est
sur pied : il assume, en même temps que la présidence du
Conseil, la charge des Affaires étrangères. Malvy, Bienvenu-
Martin et Gauthier reprennent respectivement les porte-
feuilles de l'Intérieur, de la Justice et de la Marine qu'ils
détenaient dans le cabinet Doumergue ; Messimy va à la
Guerre, Noulens aux Finances, Augagneur à l'Instruction
publique, René Renoult aux Travaux publics, Thomson
au Commerce, Fernand David à l'Agriculture, Maurice
Raynaud aux Colonies, Couyba au Travail. Tous, à l'exception de Viviani et de Thomson, sont des radicaux-socialistes. Aucun n'est homme de premier plan. Il a été reconnu
impossible de faire appel à Caillaux dont la femme, incar-
cérée à la prison de Saint-Lazare, va bientôt être traduite
en cour d'assises. Quant à Jaurès, son appartenance
au parti socialiste unifié lui interdit, en application des
résolutions du congrès d'Amsterdam, de figurer dans un
gouvernement bourgeois.

C'est ce terne ministère qui va bientôt avoir à affronter
une crise européenne majeure.

En attendant, il établit un programme transactionnel
qui recueille à la Chambre une forte majorité : s'engageant
à faire voter par le Sénat l'impôt général sur le revenu, il
se déclare en même temps résolu à maintenir, au moins à
titre provisoire, le service de trois ans. Soulagé, Poincaré
se consacre à la préparation du voyage qu'il doit accomplir
en Russie à partir du 16 juillet et au retour duquel il
compte s'arrêter successivement dans les trois capitales
scandinaves.

L'atmosphère internationale, sans être zébrée d'éclairs,
demeure d'une lourdeur qui se perçoit jusqu'au-delà de
l'Atlantique. A la fin de mai, par une initiative remarquable, le président des États-Unis Woodrow Wilson a
dépêché en Europe son conseiller intime, le colonel House,
avec mission de suggérer aux grandes puissances la conclusion d'un accord mettant terme à la course aux armements.
Le 1er juin, House a eu, à Potsdam un entretien avec
Guillaume II ; le 9 il était à Paris où la crise ministérielle

l'a empêché d'engager des conversations véritablement utiles ; le 17 il a, à Londres, développé devant plusieurs membres du cabinet britannique un plan de coopération internationale. Partout il a recueilli de bonnes paroles mais nulle promesse ferme : la méfiance reste générale et aveugle les plus clairvoyants.

*
* *

La tragédie va se nouer : à la fin de juin, tandis qu'à Paris la « saison » bat son plein, l'archiduc François-Ferdinand, neveu de l'empereur François-Joseph et héritier du trône d'Autriche-Hongrie, se rend, accompagné de son épouse morganatique, la duchesse de Hohenberg, en Bosnie pour y assister à de grandes manœuvres.

L'archiduc est un personnage cassant, hautain, mais non dépourvu d'idées politiques. Inquiet des forces centrifuges qui menacent de faire éclater la monarchie habsbour-geoise, persuadé des dangers du système « dualiste » qui, au sein de cette mosaïque de races, assure la prépondé-rance absolue aux Allemands d'Autriche et aux Hongrois, il voudrait le remplacer par un système fédéraliste dans lequel les éléments slaves seraient placés, à côté des deux autres, sur un pied d'égalité. Cela lui vaut l'inimitié des Hongrois et surtout la farouche hostilité des Serbes indé-pendants : si, en effet, un État slave semi-autonome venait à être constitué au sud de la monarchie, c'en serait proba-blement fait de l'espoir qu'a le royaume de Serbie d'attirer à lui les Croates, Slovènes et Bosniaques mécontents de la sujétion à laquelle ils sont actuellement soumis. Qui sait même si l'attraction ne s'exercerait pas en sens contraire ?

Une société secrète serbe, « la Main noire », qui a des relations avec les services de renseignements de l'État-major, a juré la mort de François-Ferdinand. Elle a trouvé deux hommes décidés, Tchabrinovitch et Prinzip, l'un comme l'autre sujets autrichiens, mais de race serbe et résidant à Belgrade ; elle leur a fourni des armes prises dans un arsenal militaire et, avec la complicité de deux gardes-frontière, les a fait passer en Bosnie.

Le 28 juin, l'archiduc et sa femme visitent Sarajevo, la capitale bosniaque. Tchabrinovitch lance sur eux une grenade qui manque son but, mais quelques instants plus tard ils tombent, mortellement atteints, sous les coups de Prinzip.

Émoi dans les chancelleries européennes. Fureur calculée à Vienne. Sans doute l'archiduc y comptait-il beaucoup d'adversaires dans les milieux dirigeants composés presque uniquement de Germaniques et de Hongrois ; ces mêmes milieux n'en estiment pas moins que son assassinat fournit l'occasion depuis longtemps cherchée de « régler son compte » à la turbulente Serbie. On n'ignore point que cela provoquera une réaction violente de la Russie et que, par le jeu des alliances, cette réaction déterminera peut-être une guerre générale. Mais mieux vaut s'y exposer que de risquer, en procrastinant davantage, une dislocation de la Double Monarchie. Tel est notamment l'avis du ministre des Affaires étrangères, le léger comte Berchtold, et du chef du gouvernement hongrois, le rude comte Tisza. Quant au ministre de la Guerre, il déclare : « L'équilibre des forces se déplace contre nous. » Enfin, l'empereur-roi, le vieux François-Joseph, accablé par le nouveau coup qui vient de frapper sa famille, n'a plus l'énergie nécessaire pour faire frein.

Aussi bien le gouvernement austro-hongrois est-il certain du plein appui de Berlin. L'année précédente l'Allemagne a retenu son alliée. Elle ne le ferait plus aujourd'hui et plutôt la pousserait-elle. C'est que le Grand État-major a fini par convaincre l'empereur Guillaume II que la guerre était inévitable et que, pour être assuré de la gagner, il convenait de ne point attendre que l'armée russe ait achevé de se réorganiser. Guillaume était d'ailleurs lié d'amitié avec François-Ferdinand et il considère son assassinat comme l'atteignant personnellement.

Interrogé secrètement, le 5 juillet, par le gouvernement austro-hongrois, il répond que celui-ci aurait tort « de laisser passer le moment actuel, si favorable ». Mais peut-être pense-t-il — car dans son esprit inquiet les pensées les plus contradictoires cohabitent — que tout pourra se limiter à un écrasement rapide de la Serbie.

A Pétersbourg on est résolu à ne pas tolérer cet écrasement. L'humiliation subie en 1909, quand l'Autriche-Hongrie annexa définitivement la Bosnie et l'Herzégovine, n'a pas été oubliée, et les succès emportés par la Serbie au cours des deux guerres balkaniques n'ont point paru une compensation suffisante. Tout raisonnable soit-il, le ministre des Affaires étrangères Sazonov n'a pas beaucoup de caractère, et le président du Conseil qui a succédé à Kokovtsov, le vieux bureaucrate Goremykine, en a moins encore. A côté, nombre de généraux, hauts fonctionnaires et courtisans se disent qu'une guerre constituerait un efficace paratonnerre contre la révolution toujours grondante. Quant au tsar Nicolas, religieux et pacifique dans le cœur, il est dominé par la tsarine que subjugue elle-même le salace et vénal moine Raspoutine.

A Londres, le ministère est entièrement absorbé par la question d'Irlande, de cette Irlande où autonomistes catholiques et Ulstériens protestants s'organisent militairement et paraissent tout près d'en venir aux mains. Quant à l'opinion publique elle est plus éloignée qu'elle ne l'était lors du coup de Tanger et lors du coup d'Agadir de la pensée que la Grande-Bretagne pourrait se voir entraînée dans un conflit continental. « Il n'est point étonnant, écrira Churchill, que le gouvernement de Berlin ait cru alors que l'Angleterre glissait à la guerre civile et qu'elle pouvait être tenue pour un facteur international négligeable. »

A Paris enfin, rares sont les dirigeants qui aperçoivent clairement les conséquences possibles de l'assassinat de François-Ferdinand. « Au Conseil du mardi 30 juin, note Poincaré, on parle un peu de l'Autriche ; on parle beaucoup des Congrégations. » Lui-même, tout résolu soit-il à ne pas laisser se distendre les liens de l'alliance franco-russe, croit à un règlement pacifique de l'affaire : recevant, le 5 juillet, l'ambassadeur d'Autriche-Hongrie à Paris, comte Szeczen, il lui exprime sa conviction que le gouvernement serbe ne fera pas obstacle à une enquête judiciaire et que tout s'arrangera... Au Parlement on s'occupe surtout de l'impôt général sur le revenu que le Sénat se résigne enfin à voter ; quelques spécialistes s'inquiètent pourtant de la quasi-inexistence de notre artillerie lourde et l'interpellation que va développer à ce sujet le sénateur Charles Humbert aura un certain retentissement... Pourtant la presse consacre beaucoup moins de place au drame de Sarajevo et à l'artillerie qu'à la prochaine comparution de Mme Caillaux devant la cour d'assises de la Seine. D'ailleurs les récentes élections ont montré que la masse française était non seulement pacifique, mais encore encline à minimiser la gravité du péril extérieur. Seuls quelques cercles informés pressentent l'éventualité d'une issue fatale et quelques milieux chauvins affectent de ne la point redouter.

***

Les choses en sont là quand, le 16 juillet, Poincaré, accompagné de Viviani et de Margerie, directeur des Affaires politiques au Quai d'Orsay, s'embarque sur le cuirassé *France* à destination de la Russie. Ce voyage était décidé depuis quatre mois, et il n'a pas été jugé possible de le contremander. Aussi bien les télégrammes reçus de notre ambassade à Vienne sont-ils plutôt rassurants : on ignore que, dès le 7 juillet, le Conseil des ministres austro-hongrois a décidé l'envoi à Belgrade d'un ultimatum contenant (mentionne le procès-verbal confidentiel) « des exigences tellement étendues qu'elles fassent prévoir un refus et permettent de frayer la voie à une solution radicale ».

Le 19 juillet, alors que la *France* est en vue des côtes russes, un nouveau Conseil tenu à Vienne arrête définitivement les termes de cet ultimatum. Il est toutefois résolu de tenir celui-ci provisoirement secret et de ne le remettre au gouvernement serbe que le 23, lorsque viendra de se terminer la visite du président de la République française au tsar.

Le 20, Poincaré, débarqué à Cronstadt, arrive à la résidence d'été de Peterhof où l'attend Nicolas II.

Grand dîner. Toasts. Notre ambassadeur note que celui porté par Poincaré présente un relief exceptionnel. Le 21, les deux chefs d'État ont, tête à tête, un long entretien. Ils tombent d'accord sur la nécessité de maintenir, plus étroite que jamais, l'alliance franco-russe et d'être prêts à en remplir toutes les obligations. Le président va ensuite à Pétersbourg sans y être accompagné par son hôte. Se rend-il bien compte de la précarité du pouvoir de cet autocrate qui n'ose pas affronter sa propre capitale où une grève formidable vient d'éclater ?...

Le 22, revue militaire au camp de Krasnoïe-Selo. Le 23, dernier dîner, ultimes toasts. Il y est proclamé que la France et la Russie ont « le même idéal de paix dans la force, l'honneur et la dignité ». Puis le cuirassé *France* et les navires d'escorte appareillent vers Stockholm. Le tsar a été frappé de la « fermeté » témoignée par son invité.

Au cours de la même soirée, conformément au plan arrêté, le ministre d'Autriche-Hongrie a remis à Belgrade l'ultimatum incendiaire.

Il est d'une dureté effrayante : le gouvernement serbe est requis de désavouer publiquement toute propagande contre l'Autriche-Hongrie, d'éliminer tout officier et tout fonctionnaire qui lui seront désignés par Vienne, d'arrêter les sujets serbes qui pourront sembler compromis dans l'affaire de Sarajevo, enfin et surtout d'accepter la participation d'agents austro-hongrois à l'enquête qui devra être ouverte, en territoire serbe, au sujet de cette affaire. Réponse affirmative sur tous les points devra être donnée dans les quarante-huit heures ; sinon la guerre sera déclarée.

Ce n'est que le 24 à l'aube, alors qu'ils sont déjà loin en haute mer, que Poincaré et Viviani apprennent, par radiogramme, la remise de l'ultimatum ; la presse du matin en informe en même temps le public français.

Celui-ci, au cours des jours précédents, ne s'est intéressé qu'au procès criminel de Mme Caillaux, maintenant ouvert devant la cour d'assises. Mais il pressent aussitôt la gravité du geste austro-hongrois. Au Quai d'Orsay cette gravité apparaît dans toute son étendue quand l'ambassadeur d'Allemagne, baron de Schoen, vient notifier à Bienvenu-Martin, garde des Sceaux et, par intérim, ministre des Affaires étrangères, que le gouvernement de Berlin considère le conflit comme devant être réglé « exclusivement entre l'Autriche-Hongrie et la Serbie », toute intervention d'une autre puissance étant de nature à « entraîner des conséquences incalculables ».

Déjà le gouvernement serbe a accepté en majeure partie les exigences de Vienne ; mais, sur le conseil du ministre de Russie à Belgrade, il a repoussé la clause prévoyant la participation d'agents austro-hongrois à l'enquête. Le cabinet de Vienne a aussitôt rompu les relations diplomatiques et mobilisé huit corps d'armée.

Les chancelleries s'affairent. Le 26, le cabinet britannique prend l'initiative d'un projet de conférence internationale. Il est rejeté par l'Allemagne qui ne veut pas que l'Autriche soit « traînée devant un tribunal européen ». Le 27, la Russie tente d'engager avec l'Autriche-Hongrie des conversations directes en prenant pour base la réponse serbe. Refus de Vienne qui, le 28, déclare formellement la guerre à la Serbie.

Poincaré et Viviani, après avoir fait escale à Stockholm, décident de renoncer aux visites prévues à Oslo et à Copenhague et de rentrer d'urgence en France. En attendant, la responsabilité des négociations tombe de tout son poids sur Bienvenu-Martin, assez effaré, et surtout sur le lucide Philippe Berthelot, directeur-adjoint des Affaires politiques, qui, en l'absence de Margerie, fait fonction de directeur.

L'opinion française, tout à fait réveillée, attend anxieusement les nouvelles. On ne sait rien de très précis, mais on flaire que la guerre, cette guerre dont il était question depuis si longtemps mais à laquelle on avait fini par ne plus vraiment croire, rôde maintenant derrière la porte. Les passants s'arrêtent devant les grilles fermées du Quai d'Orsay. Quelques jeunes gens défilent sur les boulevards en criant « Vive l'armée ! Vive l'Alsace-Lorraine ! A bas l'Allemagne ! » tandis que des ouvriers répliquent : « Vive la paix ! » Dans *L'Humanité*, Jaurès multiplie les appels au sang-froid. L'acquittement de Mme Caillaux, qui, deux jours auparavant, eût soulevé des tempêtes, passe presque inaperçu.

Le 29, au début de l'après-midi, Poincaré et ses collaborateurs, débarqués le matin à Dunkerque, arrivent enfin à Paris. Une foule où toutes les conditions se coudoient les accueille gare du Nord par une immense clameur de « Vive la France ! »

« Jamais je n'ai eu plus de mal, écrira Poincaré, moralement et physiquement, à rester impassible. »

Aussitôt après, Conseil des ministres à l'Élysée. Bienvenu-Martin rend compte des dernières informations : la plus grave se réfère de l'ordre de mobilisation partielle qui vient d'être lancé à Pétersbourg aux treize corps d'armée destinés à agir éventuellement contre l'Autriche-Hongrie. Le mécanisme des déclics automatiques s'engrène. Dépassés par les événements, les mains d'ailleurs liées par leurs engagements internationaux, les hommes d'État vont assister, impuissants bien plus que complices, à leur implacable déroulement.

Cependant, le gouvernement britannique a suggéré une nouvelle formule : l'Autriche-Hongrie occuperait Belgrade à titre de « gage », puis accepterait de négocier internationalement une transaction. Le gouvernement allemand, où le chancelier de Bethmann-Hollweg semble maintenant exercer une influence modératrice, presse le cabinet de Vienne d'accepter. Mais celui-ci refuse, et l'Allemagne n'insiste pas.

Le même 29 juillet, sur convocation urgente, se réunit à Bruxelles le bureau de la IIe Internationale socialiste. Jaurès est présent ; peu de jours avant, devant le congrès national du Parti socialiste français, il préconisait encore la grève générale comme le moyen le plus efficace d'obliger les gouvernements à avoir recours à l'arbitrage ; mais il sait maintenant que les *leaders* de la sociale-démocratie allemande n'ont ni la possibilité, ni sans doute la volonté, de s'opposer à la guerre et il n'entend pas se désolidariser de son pays :

« Nous, socialistes français, s'écrie-t-il, notre devoir est simple : nous n'avons pas à imposer à notre gouvernement une politique de paix, il la pratique. Moi qui n'ai jamais hésité à attirer sur ma tête la haine de nos chauvins par ma volonté obstinée, et qui ne faiblira jamais, de rapprochement franco-allemand, j'ai le droit de dire qu'à l'heure actuelle le gouvernement français veut la paix et travaille au maintien de la paix... »

D'évidence la IIe Internationale va à la dérive. De leur côté, les chefs syndicalistes, sentant leurs troupes peu à peu gagnées par l'entraînement général, se tiennent cois. Le 30 juillet pourtant, Léon Jouhaux, secrétaire général de la C.G.T., télégraphie encore à son collègue, le secrétaire général de la centrale syndicale allemande pour l'adjurer de faire pression sur son gouvernement en faveur de la paix : il ne recevra pas de réponse.

* *
*

L'ultimatum notifié par l'Autriche-Hongrie à la Serbie a préparé la conflagration générale. Un geste de la Russie va ajouter à sa probabilité.

Les généraux ont représenté au tsar que la mobilisation simplement partielle déjà décrétée présentait de très graves difficultés techniques et lui ont arraché un ukase de mobilisation générale. Un télégramme conciliant émané de Guillaume II étant arrivé sur ces entrefaites, Nicolas a révoqué sa décision. Néanmoins, l'État-major ne s'est pas incliné et la nouvelle du bombardement de Belgrade par l'artillerie austro-hongroise a renforcé sa position. Le

30 juillet, à quatre heures de l'après-midi, le tsar cède et autorise la notification secrète à toutes les circonscriptions militaires d'un ukase de mobilisation générale.

Décision qui fait définitivement passer le conflit austro-serbe au plan européen. Elle a été prise, contrairement aux termes de la convention d'alliance franco-russe de 1891, sans concert préalable avec le gouvernement français ; elle l'a été aussi malgré les conseils de prudence donnés le matin même par notre ambassadeur ; enfin le Quai d'Orsay n'en sera officiellement informé qu'au bout de vingt-quatre heures. Depuis la visite de Poincaré, le cabinet de Péters-bourg s'estime fondé à pouvoir compter, *en tous cas*, sur la solidarité de la France. Aussi bien, l'État-major français n'a-t-il pas cessé d'insister pour que la concentration russe soit orientée plus encore contre l'Allemagne que contre l'Autriche-Hongrie.

Déjà, sur le vu d'informations qui montrent l'Allemagne précipitant ses préparatifs militaires, le Conseil des ministres français a ordonné la mise en place du dispositif de couverture ; mais pour éviter tout incident, il a été stipulé que les troupes alertées seraient maintenues à dix kilomètres de la frontière.

Dans la nuit du 30 au 31, avant que la nouvelle de la mobilisation générale russe soit parvenue à Vienne, toute l'armée austro-hongroise est elle-même mobilisée. Le matin du 31, Poincaré adresse au roi d'Angleterre une lettre auto-graphe dont la phrase essentielle est celle-ci :

« Si l'Allemagne avait la certitude que l'Entente cor-diale s'affirmerait, le cas échéant, sur les champs de bataille, il y aurait les plus grandes chances pour que la paix ne fût pas troublée. »

A cet appel pressant, George V, conseillé par ses ministres, ne fera malheureusement qu'une réponse évasive.

Dans l'après-midi on apprend que le gouvernement de Berlin a décrété l'« état de danger de guerre » qui lui permet de fermer les frontières. Le soir, l'ambassadeur du Reich à Paris notifie à Viviani que l'Allemagne exige la démobi-lisation de l'armée russe dans un délai de quarante-huit heures ; il lui demande ensuite, sur un ton comminatoire, ce que ferait la France en cas de guerre germano-russe.

(Il n'ajoute pas qu'au cas où la République abandonne-rait son alliée ses instructions sont de réclamer, à titre de garantie de neutralité, la remise à l'Allemagne des for-teresses de Toul et de Verdun... L'État-major allemand, qui veut la guerre et s'est préparé à la mener sur deux fronts, a suggéré cette prétention de caractère évidemment trop humiliant pour pouvoir être admise.)

A la question posée par le baron de Schoen, Viviani, désireux de se faire couvrir par le Conseil des ministres, répond par une phrase dilatoire.

Pendant ce temps, Jaurès, fiévreux, désemparé, s'est répandu dans les couloirs du Palais-Bourbon répétant : « Non, non, la France de la Révolution ne peut pas marcher derrière la Russie des moujiks contre l'Allemagne de la Réforme... »

Puis, après être passé au bureau de *L'Humanité,* il va, avec quelques collaborateurs, dîner dans un café de la rue Montmartre : c'est là qu'un obscur exalté du nom de Raoul Villain tire sur lui deux coups de revolver. Le *leader* socialiste s'effondre, mortellement atteint à la tête.

La disparition, au point aigu de la crise, du généreux et tenace champion du rapprochement franco-allemand a une valeur de symbole. Le gouvernement redoute un instant des troubles populaires, mais rien ne se produit et, devant l'attitude résignée des chefs syndicalistes, Malvy, ministre de l'Intérieur, renonce à faire arrêter ceux d'entre eux dont les noms figuraient au fameux « carnet B ».

Le 1er août, à dix heures du matin, le Conseil des ministres s'assemble à l'Élysée. Viviani, que sa nervosité fait passer brusquement de l'abattement à l'optimisme, paraît presque rasséréné : en effet, le gouvernement de Vienne, apercevant enfin l'abîme ouvert sous ses pas, a fait savoir que, si la Russie arrêtait ses préparatifs militaires, il serait disposé à discuter *internationalement* de son conflit avec la Serbie... Mais peut-être cette concession n'est-elle qu'apparente et, en tout cas, la France reste exposée à une attaque brusquée de l'armée allemande. Sur l'insistance réitérée de Joffre, commandant-en-chef désigné, le Conseil décide la mobilisation générale. A peu près au même moment, le gouvernement de Berlin décrète la même mesure.

Le « télégramme blanc » notifiant aux mairies la grave résolution prise à Paris est expédié à quatre heures de l'après-midi ; le président de la République l'accompagne d'un manifeste : « La mobilisation n'est pas la guerre... »

Mais le peuple de France ne s'y trompe point et, tandis que dans les clochers le tocsin résonne, tous les mobilisables se préparent, sans récrimination, à répondre à l'appel des armes. Certains ne prennent même pas la peine de vérifier la date à laquelle ils doivent rejoindre leur dépôt, et c'est sur-le-champ qu'ils partent, pressés de servir, craignant d'arriver trop tard pour la moisson de lauriers.

Les réflexes montés au cours des années heureuses ont joué à plein : réflexe de discipline engendré par le dur entraînement du service militaire, réflexe de patriotisme né de la renaissance de la fierté française elle-même consécutive à une série de flatteurs succès, réflexe anti-allemand résultant de l'irritante politique pratiquée par Berlin, réflexe sentimental, suscité par l'image endeuillée de l'Alsace-Lorraine captive, réflexe démocratique même, car ne s'agit-il pas de combattre des puissances « réactionnaires » régies par des « hobereaux » ?... L'État-major s'attendait à 13 pour 100 de réfractaires ; on en comptera à peine 1,5 pour 100. Les ouvriers syndiqués qui, hier encore, hurlaient avec conviction le couplet de *L'Internationale* promettant « nos balles » à « nos propres généraux », ne sont pas les derniers à s'élancer vers la caserne au chant de *La Marseillaise*.

Infime est le nombre des Français qui se demandent si une conflagration générale n'entraînera pas la fin de l'ordre et de la civilisation auxquels ils sont accoutumés. Et peut-être sont-ce ceux qui profitent davantage de cet ordre et de cette civilisation qui témoignent du plus d'ardeur guerrière : depuis le boulangisme le temps est tout à fait révolu où le parti conservateur était le parti de la paix. Aussi bien, économistes et militaires sont-ils d'accord pour affirmer qu'une guerre européenne ne saurait durer plus de trois mois. L'édifice paraît assez solide pour résister à un assaut ne se prolongeant pas davantage.

Les dés sont d'ailleurs jetés et, le voulussent-ils, ni le gouvernement ni le peuple français ne pourraient arrêter le cours du destin. L'Allemagne est désormais résolue à l'agression, et c'est elle qui va prendre seule les irréparables initiatives.

Le 2 août au matin, on apprend qu'elle a, la veille au soir, déclaré la guerre à la Russie, que des patrouilles allemandes viennent, sur deux points, de pousser des recon-

naissances en territoire français, enfin que les troupes allemandes ont violé la neutralité du grand-duché de Luxembourg. A Paris et dans les grandes villes de province *La
Marseillaise* retentit partout. Les magasins allemands, ou
crus allemands, sont saccagés et leurs propriétaires parfois
molestés.

*
* *

Tous les yeux sont maintenant tournés vers l'Angleterre.
Or, l'Angleterre, dont le gouvernement est divisé, continue
d'hésiter... Un nouvel attentat commis par l'Allemagne
contre le droit des gens va la décider :

Dans la nuit du 2 au 3 août, le ministre du Reich à
Bruxelles remet au gouvernement belge un ultimatum :
si la Belgique ne laisse pas librement passer les forces
allemandes à travers son territoire, elle sera traitée en
ennemie. Aussitôt réuni sous la présidence du roi Albert Ier,
le Conseil de la Couronne se prononce unanimement pour
la résistance.

Émotion intense à Londres. La neutralité belge a été,
en 1839, établie internationalement, comme la neutralité
du Luxembourg le fut en 1867. Mais tandis que la seconde
n'intéresse pas directement la sécurité britannique, la
première est jugée par les Anglais indispensable à cette
sécurité. Qu'un de ses garants ose y attenter, cela est res-
senti comme un soufflet, et la diplomatie du *Foreign Office*
se trouve désormais assurée du soutien de l'opinion. Le
3 août, à la fin de l'après-midi, Sir Edward Grey, secrétaire
d'Etat aux Affaires étrangères, déclare à la Chambre des
communes que la Grande-Bretagne, liée par le traité de
1839, se portera avec toutes ses forces au secours de la
Belgique ; il ajoute qu'au cas où l'Allemagne attaquerait
les côtes septentrionales ou occidentales de la France,
celle-ci pourrait compter sur le concours de la flotte britannique. Il est déjà à prévoir que cet appui ne se bornera
pas là et la Chambre vote les crédits nécessaires à la mobilisation de l'armée.

Le discours de Grey, impatiemment attendu à Paris,
n'y est pas encore connu quand Viviani, siégeant au Conseil
des ministres, est appelé au Quai d'Orsay pour y recevoir
une dernière visite de l'ambassadeur d'Allemagne. Ce

dernier, d'ordre de son gouvernement, lui remet une note affirmant mensongèrement que des avions français ont jeté des bombes sur des voies ferrées voisines de Nuremberg et de Carlsruhe.

« *Je suis chargé*, conclut le baron de Schoen, *de faire connaître à Votre Excellence qu'en présence de ces agressions l'Empire allemand se considère en état de guerre avec la France.* »

Tout est consommé. Quelques heures plus tard l'ambassadeur anglais à Berlin signifie au chancelier de Bethmann-Hollweg un ultimatum : si, dans les vingt-quatre heures, l'Allemagne n'a pas renoncé à envahir la Belgique, l'Empire britannique jettera son épée dans la balance. Bethmann-Hollweg, fonctionnaire borné, a un mot terriblement malheureux : parlant du traité de 1839, il s'étonne que la Grande-Bretagne puisse attacher tant d'importance à un « *chiffon de papier* ». Une autre grave déception l'attend : l'Italie, qui estime que l'agression commise par l'Allemagne la dégage de ses obligations d'alliée, signifie sa neutralité.

Le lendemain 4 août, tandis que les premières troupes allemandes pénètrent en territoire belge, la mobilisation se poursuit en France dans l'ordre, la confiance et l'enthousiasme. Drapeaux tricolores à toutes les fenêtres ; *Marseillaise* ininterrompue : gares fourmillant de réservistes qui s'arrachent courageusement aux bras de leurs familles ; trains se succédant sans interruption chargés de troupes en pantalons rouges et que les populations acclament ; hommes dégagés d'obligations militaires se pressant devant les bureaux de recrutement ; le vieil épicurien anarchisant Anatole France veut s'engager ; Collignon, conseiller d'État, s'engage pour de bon et dans l'infanterie ; le libertaire Gustave Hervé, l'homme du « drapeau dans le fumier », proclame dans *La Guerre sociale* qu'il faut « suivre la France » ; les obsèques de Jaurès se déroulent sans incidents ; les curés mettent sac au dos au milieu de la sympathie populaire ; les adversaires politiques s'étreignent ; les antagonismes de classes paraissent oubliés.

Dans l'après-midi, lecture est donnée aux Chambres d'un message de Poincaré dans lequel le président de la République a mis tout son esprit de juriste et tout son cœur de patriote. Il est écouté debout par les membres des deux

Assemblées ; on y trouve une expression d'une frappe d'autant plus belle qu'elle répond à la réalité : l'*Union sacrée*. Sans discussion, dix-huit textes législatifs sont votés donnant au gouvernement une série de pouvoirs exceptionnels ; l'un d'eux ratifie le décret promulgué l'avant-veille et qui proclamait en état de siège l'ensemble du territoire.

Le soir, à minuit, l'heure fixée par l'ultimatum ayant sonné, l'ambassadeur de Grande-Bretagne à Berlin demande ses passeports ; en même temps Winston Churchill, premier Lord de l'Amirauté, fait expédier un télégramme à tous les navires de Sa Majesté britannique se trouvant en n'importe quel point du globe :

« *Commencez les hostilités contre l'Allemagne.* »

La guerre civile européenne a éclaté.

Les responsables ? D'abord, évidemment, le cabinet de Vienne qui, conscient de la ruine dont l'effervescence des nationalités menaçait le branlant édifice austro-hongrois, a cru qu'il pouvait consolider cet édifice en matant la turbulente Serbie, dût une conflagration générale en résulter. Ensuite, le gouvernement de Berlin, qui s'est laissé dominer par le clan militaire et qui, non content d'avoir encouragé l'Autriche, a fini, alors que celle-ci semblait disposée à reculer, par prendre position de brutal agresseur. Enfin, le gouvernement russe qui, sans consulter son alliée française, a décrété le premier la mobilisation générale, fournissant ainsi à l'État-major allemand le prétexte cherché. Quant au gouvernement français, sa responsabilité immédiate est nulle. Tout au plus devrait-on lui reprocher d'avoir donné au cabinet de Pétersbourg l'impression qu'il lui laissait carte blanche. Outre les engagements réciproquement contractés, le seul fait que le total des emprunts russes émis en France se montait à près de 11 milliards de francs-or (plus de 30 milliards de 1964) autorisait pourtant la diplomatie française à témoigner d'une plus attentive curiosité.

Au-delà toutefois des causes occasionnelles du drame, on lui découvre des causes plus lointaines et profondes.

En premier lieu, le système des alliances qui a coupé l'Europe en deux : système imaginé par Bismarck quand il noua la Triplice, complété ensuite par la conclusion de l'alliance franco-russe, puis de la Triple-Entente. En dépit de précautions plus apparentes que réelles, ce système comportait un automatisme qu'aggravait la rigidité des plans de campagne concertés et qui privait les contractants d'une grande partie de leur liberté de décision. La Grande-Bretagne s'est imaginé conserver la sienne en ne s'engageant pas formellement. Mais, hantée par son souci traditionnel de maintenir la division entre les puissances continentales, elle a favorisé l'agencement du mécanisme et s'est finalement trouvée prise dans son engrenage.

En second lieu, les rivalités économiques entre grandes puissances : les premières années du xxe siècle ont vu un prodigieux perfectionnement des techniques ; simultanément l'accroissement des fabrications industrielles a amené les pays producteurs à chercher partout des débouchés nouveaux. L'Allemagne, dont les progrès étaient le plus marqués, s'est montrée spécialement âpre. Ayant trop tard participé, à la fin du xixe siècle, au *rush* colonial, elle a voulu rattraper le temps perdu. D'où sa tentative manquée sur le Maroc, d'où celle partiellement réussie sur le Congo, d'où son activité dans les Balkans, dans les provinces asiatiques de l'empire ottoman et jusqu'en Extrême-Orient. Autant que l'encerclement politique dont elle se jugeait menacée en Europe, elle a voulu briser les obstacles qu'opposaient à son expansion hors d'Europe les puissances déjà nanties, et tout particulièrement la Grande-Bretagne. L'intense développement de sa flotte de guerre répondait à un souci d'intérêt économique aussi bien que militaire. Mais c'est là justement ce qui ne pouvait manquer de provoquer l'anxiété britannique et d'accélérer cette course aux armements navals qui précéda la course aux armements terrestres. Il semble pourtant que, si la concurrence coloniale et commerciale a contribué à créer une atmosphère favorable au conflit, elle n'ait point déterminé celui-ci : en juillet 1914 c'est dans la Cité de Londres que l'on rencontre le plus de résistance à une intervention armée de la Grande-Bretagne.

En troisième lieu — et peut-être touche-t-on ici le tuf — place doit être faite à l'exaspération des nationalismes, conséquence elle-même de la montée des démocraties et de l'affaiblissement de la vieille solidarité des cours et des cabinets. Les diplomates de l'âge antérieur parlaient la même langue — le français —, fréquentaient les mêmes cercles et, en dépit des rivalités aiguës qui souvent les séparaient, ils s'entendaient sur l'essentiel. Les hommes d'État qui leur ont succédé, même quand ils ont été nourris dans les anciens usages, ne sont pas aussi cosmopolites que leurs devanciers et doivent en tout cas tenir compte des Parlements, de la presse, des opinions publiques. Or, les foules sont nerveuses et plus sensibles aux arguments du sentiment qu'à ceux de la raison. On sait quelle réaction chauvine fut suscitée en France par l'arrangement transactionnel que Caillaux avait négocié avec Berlin ; on sait aussi combien la grande presse parisienne jugea conforme aux tendances de son public l'affirmation d'un patriotisme ombrageux ; il n'est pas douteux que Charles Maurras ne jouissait d'une large audience que parce qu'en même temps que le champion de l'idée monarchique, il était celui d'un « nationalisme intégral » fort éloigné de l'ancienne pensée légitimiste. En Allemagne, l'agitation des ligues maritimes, coloniales et pangermanistes finit par impressionner l'instable Guillaume II. En Autriche-Hongrie, la poussée des nationalités exerça une influence dominante sur le comportement du gouvernement. En Russie même, si autocratique que fût son régime, les dirigeants, pour faire diversion aux troubles révolutionnaires, crurent habile d'orienter les passions populaires vers la réalisation du rêve panslaviste. Pour l'Internationale socialiste, peu cohérente et encombrée d'utopies, elle ne se révéla nulle part assez forte pour prendre la succession de l'Internationale des cours. Enfin, la seule puissance, qui, peut-être, eût pu lutter avec quelque efficacité contre la montée des périls, l'Église catholique, était souvent l'alliée politique des partis nationalistes et elle resta silencieuse...

Pourtant, en 1914, la guerre générale n'était point fatale. Elle avait été évitée en 1905 après le « coup de Tanger », en 1909 lors de la crise bosniaque, en 1911 après le « coup d'Agadir », en 1912 et 1913 en dépit des deux guerres balkaniques. Elle pouvait parfaitement l'être encore. Mais la tension, trop longue, avait usé la résistance des volontés pacifiques ; les hommes d'État en étaient arrivés à accepter *in petto* que la main leur fût forcée par les militaires ; les peuples eux-mêmes, à bout de nerfs, pensaient inconsciemment : « Il en faut finir ! » Et puis, pour reprendre le mot de Luther : « Il y a des heures où Dieu se lasse de la partie et jette les cartes sur la table. »

Quoi qu'il en soit, les destins s'accomplissent. Fin des jours faciles, début des temps qui, tantôt ensanglantés, tantôt seulement sombres, resteront toujours marqués du signe de l'angoisse. Hitler, tout barbouilleur inconnu soit-il encore, est déjà hanté de chimères mégalomanes et, bien qu'Autrichien, s'engage dans l'armée allemande. Lénine quitte la Galicie et se réfugie en Suisse d'où il va préparer la révolution bolchevique. Staline, relégué dans un village sibérien, à vingt kilomètres du Cercle polaire, ignore encore les événements mais, quand il les connaîtra, il devinera aussitôt la chance qu'ils lui ménagent. Le colonel House se rembarque à destination des États-Unis, mais sa mission, toute stérile ait-elle été, laisse déjà pressentir le rôle majeur qu'assumeront bientôt les États-Unis. Le Japon, sans avoir d'ailleurs l'intention de faire autre chose qu'élargir sa pénétration en Chine, se range au côté de l'Angleterre et s'apprête à déclarer la guerre à l'Allemagne... C'est le crépuscule du vieil ordre, le crépuscule aussi de la suprématie européenne.

CHAPITRE II

LES FORCES EN PRÉSENCE

COMPOSITION DE L'ARMÉE FRANÇAISE. ‖ LES TROUPES DU MAROC PARTIELLEMENT RAPPELÉES. ‖ L'ARMEMENT. DÉFAUT DE MITRAILLEUSES ET D'ARTILLERIE LOURDE. ‖ EXCELLENCE DU MORAL. L'ENCADREMENT. LE COMMANDEMENT. ‖ « L'OFFENSIVE A OUTRANCE », DOCTRINE DU JEUNE ÉTAT-MAJOR. ‖ JOFFRE, SA CARRIÈRE. SON ROLE COMME CHEF DE L'ÉTAT-MAJOR GÉNÉRAL. LES RÈGLEMENTS PROMULGUÉS PAR LUI TRAHISSENT L'INFLUENCE DE LA NOUVELLE DOCTRINE. ‖ LE PLAN XVII, AXÉ SUR UNE OFFENSIVE RAPIDE VERS L'EST, NÉGLIGE L'ÉVENTUALITÉ D'UNE INVASION ALLEMANDE DE LA BELGIQUE AU-DELA DE LA MEUSE. RAISON DE CETTE ERREUR. ‖ L'ALLIÉE BELGE. ‖ L'ALLIÉE BRITANNIQUE, LE CORPS EXPÉDITIONNAIRE DE SIR JOHN FRENCH. ‖ L'ALLIÉE RUSSE, PUISSANCE NUMÉRIQUE, FAIBLESSES TECHNIQUES. ‖ L'ALLIÉE SERBE. ‖ SUPÉRIORITÉ EN EFFECTIFS DES ARMÉES DE L'ENTENTE SUR LES ARMÉES DES EMPIRES CENTRAUX, INFÉRIORITÉ EN ARMEMENTS. ‖ MOLTKE CHEF D'ÉTAT-MAJOR DES FORCES ALLEMANDES. SON PLAN STRATÉGIQUE D'ENVELOPPEMENT. ‖ LES FLOTTES EN PRÉSENCE, LEUR RÉPARTITION. SUPÉRIORITÉ DES FLOTTES DE L'ENTENTE EN NAVIRES DE HAUTE MER. ‖ LA GUERRE JUGÉE PRESQUE UNIVERSELLEMENT DEVOIR ÊTRE COURTE. ‖ LES FACTEURS ÉCONOMIQUES. ‖ LE TEMPS DOIT TRAVAILLER CONTRE LES EMPIRES CENTRAUX. ‖ LES FORCES MORALES. ‖ UNANIMITÉ PATRIOTIQUE EN FRANCE ET EN ALLEMAGNE. QUASI-UNANIMITÉ EN GRANDE-BRETAGNE. ‖ SOURDS DISSENTIMENTS EN RUSSIE ET EN AUTRICHE-HONGRIE. ‖ DANS L'ENSEMBLE, LES PEUPLES ACCEPTENT AVEC ÉLAN LA GRANDE AVENTURE.

MAGNIFIQUE armée, malgré quelques déficiences, que celle que la France va opposer à la ruée allemande. Quand, le 15 août 1914, la mobilisation est achevée, 3 700 000 hommes environ sont présents sous les drapeaux dans la métropole, dont 800 000 appartenant à l'armée active et 2 900 000 à la réserve ou à la territoriale.

Environ 1 900 000 sont affectés à des unités combattantes, le reste comprenant les états-majors, les services, les auxiliaires et aussi les hommes du service armé qui, faute de cadres, ont été maintenus provisoirement dans les dépôts. En outre les équipages de la flotte comptent 68 000 individus.

Les combattants des forces terrestres sont répartis entre 84 divisions d'infanterie (47 actives, 25 de réserve, 12 territoriales), 10 divisions de cavalerie, 47 batteries d'artillerie lourde d'armée et 27 escadrilles d'aviation.

A l'exception des cheminots et des mineurs, nul mobilisable, ou presque, n'a bénéficié d'affectation spéciale ni de sursis d'appel et, dans la certitude où l'on est que la guerre sera très brève, on n'a pas craint de désorganiser même les administrations publiques et les usines d'armement. Aussi bien la plupart des intéressés n'auraient-ils pas volontiers renoncé à l'honneur d'endosser l'uniforme.

On a fait revenir d'Afrique du Nord la plus grande partie des 170 000 hommes qui s'y trouvaient stationnés. Dès le 27 juillet, Messimy, ministre de la Guerre, a câblé à Lyautey pour l'inviter à ne conserver au Maroc que le minimum de forces indispensable et à se borner à assurer l'occupation des principaux ports de la côte, le reste du territoire devant être évacué. « Le sort du Maroc, ajoutait Messimy, se réglera en Lorraine. »

Le résident général a reçu le message alors qu'il présidait à Casablanca une réunion destinée à préparer les comices agricoles dont, fidèle à sa politique de pénétration pacifique, il avait décidé l'institution. Impassible, il a attendu que la réunion fût terminée, puis, devant ses intimes, il s'est écrié : « Ils sont complètement fous ! Une guerre entre Européens c'est une guerre civile ! C'est la plus monumentale ânerie que le monde ait jamais faite ! »

Il lui a paru impossible d'obéir littéralement à l'ordre reçu : évacuer l'intérieur du Maroc, c'eût été, en effet, provoquer une insurrection générale. Aussi s'est-il borné à accepter de se démunir de 39 bataillons sur 63, tout en se refusant à abandonner aucune des zones déjà pacifiées.

« C'est moins, écrira-t-il le 22 août au ministre, par les effectifs que par la force morale, par l'opportunité et l'habileté des mesures politiques que nous nous maintiendrons ici... »

Les quelques unités territoriales qu'on lui expédiera de la métropole lui permettront de conserver une façade et de n'amener nulle part le drapeau français. « J'ai vidé la langouste, dira-t-il, mais j'ai gardé la carapace. »

Au point de vue de l'armement, l'armée de 1914 possède un très efficace fusil, le Lebel, et un remarquable canon léger de campagne, le 75 à tir rapide. En revanche elle est lamentablement mal dotée en mitrailleuses et surtout en artillerie lourde.

Les leçons des guerres balkaniques n'ont guère porté de fruits et la plupart des chefs persistent à penser que le canon de 75 est apte à remplir toutes les missions (« C'est, dit l'un d'eux, le Père, le Fils et le Saint-Esprit »). Pourtant, en 1912, la fabrication d'un canon long et d'un obusier court a été mise à l'étude. Mais on s'est heurté au souci d'économie des commissions parlementaires et aussi à l'« esprit de bouton » des services techniques de l'artillerie lesquels n'admettaient pas que, pour suppléer à l'insuffisance des ateliers d'État, on pût s'adresser à l'industrie privée. Si bien que lorsque la guerre éclate nous n'avons aucune artillerie lourde de corps d'armée alors que l'armée allemande possède 52 obusiers par corps. Quant à notre artillerie lourde d'armée, elle présente en tout 280 pièces contre 848 pièces allemandes. En outre l'approvisionnement en munitions est très insuffisant (1 300 coups prévus seulement par canon de 75, 1 100 coups par canon de 155 court).

L'équipement des forces françaises, sans être mauvais, est désuet : le sac de l'infanterie est trop lourd ; malgré quelques essais avortés d'uniformes commodes et de teinte neutre, les fantassins sont toujours revêtus de la capote bleue et du pantalon rouge si visibles de loin ; dans la cavalerie la lance dont sont armés les dragons ainsi que l'armure de poitrine et de dos où restent engoncés les cuirassiers appartiennent à un âge révolu.

L'Intendance se révélera pleinement à la hauteur de sa tâche. En revanche, en dépit du dévouement des médecins de réserve, le service de Santé, insuffisamment outillé, se laissera souvent déborder.

Si l'instruction de la troupe laisse parfois à désirer, surtout au point de vue du tir, la discipline est excellente et le moral très élevé. Et cela pas seulement dans l'armée active.

Quelque dur qu'ait été le dressage auquel, pendant leur service militaire, les jeunes hommes ont été soumis, il ne leur a en général pas laissé de mauvais souvenirs, et réservistes comme territoriaux gardent très vive la fierté du corps auquel ils ont appartenu. A de rares exceptions près la propagande antimilitariste n'a point eu de prise sur eux. C'est sans murmurer qu'ils ont, l'ordre donné, participé à la répression des troubles grévistes, et la mutinerie dont, en 1907, s'est rendu coupable le 17e d'infanterie n'a éclaté que parce que les soldats de ce régiment étaient fils ou frères des vignerons en révolte contre la loi. De plus, en présence de l'agression commise par l'Allemagne des « hobereaux », une ferveur démocratique s'allie maintenant à l'ardeur patriotique. C'est une armée qui a une âme.

* *
*

« Heureux les chefs qui n'ont à guider que des volontés aussi ardentes », écrira Foch dans ses *Mémoires*. Ces chefs ne sont, quant au moral, pas indignes de leurs troupes.

En bas, le cadre des sous-officiers est bon. Si nombreux toutefois que soient les rengagés qui y figurent, ils le sont moins que ne le souhaiterait le commandement, et le renforcement de ce cadre a constitué un des objectifs du rétablissement du service militaire triennal. Sans doute rencontre-t-on encore trop de « sous-offs » qui, imbus de leur supériorité sur la « bleusaille », sont enclins à confondre brimades avec autorité. C'est pourtant l'exception et la plupart feront, quand ils seront appelés à remplir les places devenues vides, de très efficaces et très respectés chefs de section.

Plus haut, les officiers de carrière servant dans les régiments sont en général instruits et passionnés pour leur métier. Ceux qui tiennent garnison dans l'Est le sont tous, mais ailleurs on en trouve quelques-uns plus intéressés par l'équitation que par le détail du service et le bien-être de leurs hommes. Les remous suscités par les séquelles de l'affaire Dreyfus se sont apaisés et les officiers qui vont à la messe ont cessé d'être systématiquement mal notés. Pourtant ceux qui affichent des sentiments républicains et attachent une importance particulière à leur rôle social jouissent certainement de la faveur officielle ; ils ne sont en revanche pas toujours bien vus de leurs pairs. Le prestige du galon est encore grand, moins pourtant qu'il ne l'était à la fin du siècle précédent et, au cours des récentes années, on a assisté à un fléchissement du nombre des candidats à l'École de Saint-Cyr. Nombre d'officiers d'active ont fait aux colonies une partie de leur carrière : excellente école d'endurance et de « débrouillage », mais moins bonne préparation à la guerre contre un adversaire disposant d'un armement perfectionné. Quant aux officiers de réserve, bien que parfois encore considérés avec un léger dédain par leurs camarades de carrière, ils ne vont pas tarder à mériter la confiance générale. Beaucoup appartenaient, dans le civil, à l'enseignement : on ne trouvera chez eux nulle trace de cet esprit frondeur qui semblait caractéristique de l'Université.

Plus haut encore, les États-majors sont remplis d'officiers brillants et savants. Certains d'entre eux pourtant apparaissent imbus d'opinions systématiques qu'ils ne prennent guère la peine de confronter avec l'expérience. Longtemps l'École supérieure de Guerre, où se forment les « brevetés », a prêché la doctrine dite « défensive-offensive » (attendre le choc de l'ennemi, puis contre-attaquer). Dans le cours qu'il professa en 1911, le colonel Pétain l'enseignait encore. Mais une doctrine nouvelle est devenue à la mode, celle de l'« offensive à outrance » accompagnée de l'exaltation de « l'arme froide ». Dans une conférence retentissante un officier jouissant d'un rare prestige, le colonel de Grandmaison, alla jusqu'à affirmer que « l'esprit d'offensive ne se divisait pas » et que les précautions traditionnelles risquaient d'affaiblir le moral du combattant. « Dans l'offensive, concluait-il, l'imprudence est la meilleure des sécurités. Poussons l'esprit offensif *jusqu'à l'excès*, et ce ne sera peut-être pas assez... »

Les grands chefs — ce sont, au-dessous du généralissime, Castelnau, Pau, Lanrezac, Dubail, Ruffey, Foch, Sarrail, Gallieni, Langle de Cary, quelques autres encore — ne participent pas à ce romantisme. Mais ils sont parfois entourés d'états-majors auxquels il n'est point étranger.

Au sommet, voici le général Joffre, chef d'État-major général depuis 1911, et qui, à la mobilisation, est devenu automatiquement commandant en chef des armées de l'Est.

Né le 12 janvier 1852 à Rivesaltes, dans les Pyrénées-Orientales, fils d'un tonnelier petit propriétaire, Joseph-Jacques-Césaire Joffre a fait de solides études qui lui ont valu d'être reçu à l'École polytechnique. Il en est sorti dans l'arme du génie. Parvenu au grade de capitaine, il a éprouvé l'attraction des pays d'outre-mer et a servi avec distinction au Tonkin puis au Soudan. Il est colonel quand, en 1900, le général Gallieni, gouverneur de Madagascar, le réclame pour organiser la base de Diego-Suarez, et la manière dont il s'acquitte de cette mission lui vaut de devenir le plus jeune général de brigade de l'armée. Rentré en France, les services qu'il continue à rendre, sa clarté d'esprit, son calme, la naturelle autorité qui se dégage de sa pesante personne et aussi son républicanisme — on le dit même franc-maçon — l'aident à franchir rapidement les hauts échelons de la hiérarchie. En 1911 enfin il est promu au poste suprême avec des pouvoirs et des responsabilités que n'avaient pas ses prédécesseurs.

A peine nommé, Joffre se met au travail : réorganisation des organes supérieurs du commandement, constitution de noyaux d'états-majors d'armée, création du centre des Hautes Études militaires, reprise en main de l'instruction, études sur la carte et sur le terrain, établissement d'un premier programme d'artillerie lourde, rédaction de nouveaux règlements, réfection du plan stratégique : tout cela est poussé parallèlement avec ténacité et méthode. En même temps le chef d'État-major général prend une part déterminante aux délibérations qui aboutissent au rétablissement du service de trois ans. On peut dire que sous son impulsion l'armée se voit en bonne partie transformée.

Fort peu doctrinaire par tempérament, Joffre ne partage pas l'enthousiasme systématique de la jeune École de Guerre pour l'« offensive à outrance ». Il a toutefois des collaborateurs qui en sont pénétrés, et c'est influencé par eux qu'il promulgue, les 28 octobre et 2 décembre 1913, deux documents capitaux : l'*Instruction sur la Conduite des Grandes Unités* et l'*Instruction sur le Service en Campagne*. « Seul, lit-on dans la première, le mouvement en avant, poussé jusqu'au corps à corps, est décisif et irrésistible. »

Et dans la seconde : « La préparation des attaques par l'artillerie ne saurait être indépendante de l'action de l'infanterie... L'artillerie ne prépare plus les attaques, elle les appuie. »

Le moins qu'on puisse dire est que ces textes, ainsi que le *Règlement de Manœuvre de l'Infanterie* en date du 20 avril 1914, semblent ignorer les enseignements offerts par la guerre russo-japonaise et les guerres balkaniques quant à l'emploi des feux et à l'efficacité des fortifications de campagne...

De même décèle-t-on dans le nouveau plan de concentration, à côté d'idées personnelles au commandant en chef, quelques autres qui viennent directement de la jeune École.

Quand, en 1911, il a assumé ses fonctions de chef d'État-major général, Joffre a trouvé en vigueur un plan datant de 1909 et qui était le seizième dans la série de ceux élaborés depuis 1875. Ce plan prévoyait un front de quatre armées nettement orientées vers l'est et s'étendant de Rethel à Belfort. En arrière, deux autres armées étaient tenues en réserve.

Le Plan XVI ne tenait nul compte des informations sûres qui montraient le commandement allemand résolu non seulement à violer la neutralité de la Belgique, mais à envahir l'ensemble du territoire belge pour tenter d'envelopper l'armée française par un gigantesque mouvement tournant. En 1910 le général Michel, devenu généralissime désigné, s'émut de cette lacune et élabora un nouveau plan qui, lui, déployait à gauche jusqu'à la mer du Nord le dispositif initial. Malheureusement Michel manquait d'autorité et ses idées sur l'emploi des réserves heurtaient celles de l'État-major. Aussi, devant l'opposition du Conseil supérieur de la Guerre, se vit-il contraint d'abord de renoncer à ses projets, puis de céder la place à Joffre.

Celui-ci n'adopta pas les idées de son prédécesseur. Pourtant il modifia provisoirement le Plan XVI en remontant jusqu'à Mézières l'armée de gauche et en poussant plus près de la frontière l'ensemble du dispositif. Il envisagea ensuite un remaniement plus complet.

Son désir eût été de prendre, dès l'ouverture des hostilités, l'initiative des opérations en faisant pénétrer les forces françaises en Belgique vers Namur avant que les forces allemandes aient pu y esquisser leur mouvement tournant. Il s'en ouvrit au gouvernement au cours d'une séance secrète tenue au Quai d'Orsay le 21 février 1912, Il lui fut répondu qu'une violation, même simplement préventive, de la neutralité belge non seulement serait contraire à la morale internationale, mais nous vaudrait l'hostilité de la Belgique en même temps que la neutralité malveillante de la Grande-Bretagne.

Joffre se rabattit alors sur une autre conception qui se peut résumer ainsi : deux ailes offensives soudées par un centre et destinées l'une et l'autre à attaquer immédiatement, celle de droite entre Vosges et Moselle, celle de gauche au nord de la ligne Verdun-Metz en direction de Thionville, Luxembourg et éventuellement Arlon. La pensée directrice était qu'en cherchant aussitôt la bataille face à l'est, on parviendrait à rompre la ligne des armées adverses avant qu'elles aient eu le temps de manœuvrer et qu'on en rejetterait les deux tronçons l'un vers le nord, l'autre vers le sud.

Cette pensée se matérialisa dans le Plan XVII constitué par plusieurs documents dont le dernier daté d'avril 1914. Ce plan prévoyait que, la concentration faite, les armées françaises seraient déployées entre Belfort et Hirson, toutes regardant vers l'est. Sans doute était-il admis que l'ennemi violerait probablement la neutralité belge, mais on supposait qu'il ne franchirait pas la Meuse et qu'il se bornerait à envahir le sud du royaume voisin. Bévue que les informations précises recueillies à diverses reprises eussent dû empêcher de commettre. Mais notre État-major, sous-estimant le nombre des divisions composées de réservistes que l'Allemagne entendait mettre en première ligne, était persuadé qu'elle ne disposerait pas des effectifs nécessaires pour étendre les opérations au-delà de la Meuse.

Le Plan XVII fera plus tard l'objet d'âpres commentaires. Les défenseurs de Joffre et l'État-major rétorqueront que les critiques *a posteriori* sont toujours aisées ; ils remarqueront aussi que les engagements contractés par la France envers la Russie nous obligeaient à prendre une offensive rapide. Il n'en reste pas moins que notre Haut Commandement s'est trompé lourdement dans son évaluation des effectifs allemands de première ligne. L'erreur de Joffre, qui pourtant n'était pas passé par l'École de Guerre, est d'avoir trop écouté des « brevetés » présomptueux. Elle va avoir de dramatiques conséquences.

*
* *

Depuis que l'Allemand a violé le sol de la Belgique, nous pouvons compter sur le concours de deux alliés nouveaux : le Belge et le Britannique.

Par souci de neutralité, le gouvernement de Bruxelles s'est toujours refusé à ouvrir des négociations militaires avec celui de Paris. Il n'existe donc aucun plan de coordination entre l'armée française et l'armée belge.

Celle-ci comprend 6 divisions d'infanterie et 1 de cavalerie, soit en tout 170 000 hommes médiocrement instruits et entraînés. Elle est commandée nominalement par le roi Albert Ier, en fait par le chef d'État-major, général de Selliers de Moranville. Sa concentration se fait à l'est de Bruxelles, mais il est entendu que sa principale mission est de couvrir Anvers, « réduit national ». Au début de la campagne elle manœuvrera sans aucune liaison avec les forces françaises.

Il n'en va pas de même du corps expéditionnaire britannique. Les conversations entre les deux États-majors, conversations amorcées dès 1906 et activement poussées à partir de 1911, ont abouti à des conventions qui déterminent la composition de ce corps, ses ports d'atterrissage, sa zone de concentration et la coordination de ses opérations avec celles des armées françaises. La Grande-Bretagne une fois entrée en guerre, ces dispositions doivent jouer automatiquement.

En fait elles vont subir quelques modifications. 6 divisions d'infanterie, 1 de cavalerie et 2 brigades montées étaient prévues : une des divisions d'infanterie sera provisoirement maintenue en Irlande pour « raison de sécurité » et ce ne seront que 118 000 hommes qui débarqueront initialement en France. D'autre part, en dépit de la diligence faite par Winston Churchill en sa qualité de premier Lord de l'Amirauté, les transports seront un peu retardés. Bref, l'armée britannique ne pourra entrer en action que le 23 août alors que déjà l'aile droite allemande aura rejeté l'armée belge sur Anvers et franchi la frontière nord de la France.

Cette petite armée — nullement « méprisable » quoi qu'en dise Guillaume II — est uniquement composée de soldats de métier, solides, tenaces, admirablement disciplinés, superbement équipés, peut-être un peu passifs. Les officiers sont de parfaits *gentlemen*, remplis de bravoure, mais au fait surtout de la guerre coloniale. Le commandant en chef, field-maréchal Sir John French, est un cavalier élégant et expérimenté, assez ombrageux. Ses instructions lui garantissent une « complète indépendance » à l'égard de tout autre commandement allié ; il ne les oubliera pas et, s'il finira le plus souvent par s'incliner devant la placide autorité de Joffre, il s'entendra fort mal avec le chef de l'armée française immédiatement voisine de la sienne, l'émotif créole Lanrezac.

Le gouvernement de Londres ne compte d'ailleurs pas arrêter là l'effort britannique. Sans doute n'ose-t-il pas encore envisager l'établissement du service militaire obligatoire si contraire aux traditions de la nation, mais bientôt le field-maréchal Lord Kitchener, devenu secrétaire d'État à la Guerre, va organiser, en faveur des engagements, une campagne qui donnera de magnifiques résultats : en treize mois, près de 1 900 000 volontaires se présenteront aux bureaux de recrutement. D'autre part les colonies de la Couronne, les Dominions, l'Inde elle-même fourniront sans marchander d'importants contingents. Tout cela cependant est pour après-demain et n'entre pas dans les calculs du commandement français lequel — d'accord avec les économistes — reste ancré dans l'idée que la guerre ne saurait durer plus de trois mois. Kitchener fera bientôt scandale quand il prévoira publiquement des années de lutte.

La plus ancienne et, semble-t-il, la plus puissante alliée de la France est la Russie. Notre État-major a avec le sien des accords précis dont le premier en date remonte à 1892 et le dernier à 1913. Il y a été en particulier stipulé qu'une fois mobilisées, les deux armées seraient tenues de « prendre une offensive vigoureuse et, autant que possible, simultanée ».

Les ressources de l'Empire russe en matériel humain peuvent paraître inépuisables : 25 millions d'hommes en âge de servir. En fait, faute de cadres et faute d'équipement, on ne peut en appeler sous les drapeaux que 8 millions et mettre immédiatement en ligne que 90 divisions d'infanterie plus 20 de cavalerie. Le soldat russe est courageux, mais il ne comprend que mal pourquoi il se bat ; l'officier de troupe est, sauf exception, médiocrement instruit ; le commandement est divisé et de valeur morale inégale. L'armement est insuffisant et les réserves en munitions extrêmement faibles.

La Serbie enfin, épuisée par les deux guerres balkaniques, ne peut mobiliser que 11 divisions, mais les troupes qui les composent sont admirables d'endurance et elles possèdent, dans la personne du voïévode Putnik, un chef de grande classe.

Au total, si l'on ne compte pas les unités territoriales, les puissances de l'Entente disposent, pour les batailles initiales, de quelques 196 divisions d'infanterie et 34 divisions de cavalerie.

*
* *

En face, l'Allemagne et l'Autriche-Hongrie ne peuvent immédiatement aligner qu'environ 155 divisions d'infanterie et 21 de cavalerie, mais cette inégalité se voit pour une bonne part compensée par une supériorité très marquée en armement, notamment en mitrailleuses et en artillerie lourde.

Des deux armées ennemies, c'est de beaucoup l'allemande qui est la plus puissante (109 divisions d'infanterie, dont 87 d'active ou de réserve et 22 de Landwehr, 10 de cavalerie). Très disciplinée, elle a été instruite avec un sens remarquable des réalités de la bataille moderne. Ses cadres subalternes sont de haute qualité, son Grand État-major est fort ouvert à toutes les possibilités nouvelles. (Contrairement à l'État-major français, il n'a pas hésité à faire pleine confiance aux réservistes et à doubler chaque corps d'armée d'active d'un corps d'armée de réserve destiné à être, lui aussi, placé immédiatement en première ligne.)

Le point faible est le commandement suprême : constitutionnellement attribué à l'empereur Guillaume II dont les prétentions sont grandes mais la compétence limitée, il est en pratique exercé par le général de Moltke, neveu du vainqueur de 1870. Or, si Moltke est aussi savant qu'intelligent, il est en même temps émotif, et plus homme de cabinet qu'homme d'action et de décision.

Son plan d'opérations est directement inspiré de celui conçu dès le début du siècle par le maréchal comte Schlieffen, son prédécesseur à la tête du Grand État-major. Il s'agit d'écraser la France avant de se retourner contre la Russie ; pour cela le gros des forces allemandes de campagne sera concentré à l'ouest ; cette masse permettra l'établissement d'un front continu de sept armées s'appuyant au sud sur la région fortifiée Metz-Thionville et pouvant, le verrou de Liège une fois brisé, s'étendre jusqu'à Bruxelles ; de là un vaste mouvement sera déclenché en direction de la ligne Maubeuge-Lille-Dunkerque que l'on sait dégarnie ; on peut ainsi espérer aboutir rapidement à l'enveloppement des forces françaises puis, l'effet de surprise aidant, à leur destruction. Tout, selon Moltke, devrait être terminé en six semaines... Plan grandiose, mais un peu bien mécanique et qui fait insuffisamment sa part à l'imprévu ainsi qu'aux qualités manœuvrières de l'adversaire. Son exécution, d'abord parfaite, ne pourra être conduite jusqu'à l'essentiel.

L'armée austro-hongroise n'est comparable ni en effectifs ni en valeur technique à l'armée allemande. Sans doute est-elle bien armée, dotée d'une bonne artillerie lourde, convenablement encadrée et son principal chef, le feldmaréchal Conrad de Hoetzendorff, est-il un stratège de qualité ; mais elle souffre d'une grave faiblesse interne : elle se compose pour moitié de soldats appartenant à des minorités nationales, Tchèques, Slovaques, Polonais, Roumains de Transylvanie, Croates, qui sont totalement dépourvus de patriotisme austro-hongrois.

Bref, si les Empires centraux bénéficient d'une supériorité en armement et en technique, si de plus le fait qu'ils sont contigus l'un à l'autre favorise les manœuvres de leurs armées, les pays de l'Entente ont en revanche l'avantage du nombre et surtout ils possèdent, sur mer, une indiscutable prépondérance.

*
* *

La flotte française, longtemps la seconde du monde, n'est plus maintenant que la quatrième, derrière les flottes britannique, allemande et américaine.

Appui donné aux expéditions coloniales, croisières destinées à montrer le pavillon français dans les mers lointaines : telles étaient au début du siècle ses principales utilisations. Manquant de munitions, de bassins de radoub et aussi de doctrine cohérente, elle ne constituait pas un véritable instrument de combat.

En 1907 un chef de haute qualité, le vice-amiral Germinet, commença à redresser la situation en reprenant en main l'escadre de la Méditerranée et en la soumettant à un entraînement intensif. Mais c'est à Delcassé, devenu ministre de la Marine en mars 1911, que furent dues les réformes d'ensemble. Aidé de son chef de cabinet, le capitaine de vaisseau Lacaze, ancien chef d'État-major de Germinet, il réorganisa l'administration centrale, le commandement, les arsenaux, regroupa les forces éparses, multiplia les manœuvres d'escadres, fit mettre en chantier de nouveaux cuirassés et créa un embryon d'aéronautique navale. Enfin et surtout, il fit voter la loi du 20 mars 1912, véritable charte de l'armée navale dont elle fixait la composition, les approvisionnements, les règles d'entretien et de remplacement.

Dans la pensée de Delcassé, le champ d'action de cette marine devait être essentiellement la Méditerranée, indispensable trait d'union entre la France et son Empire colonial. Cela toutefois supposait que la Grande-Bretagne acceptât d'assurer, éventuellement, la protection de nos côtes septentrionales et occidentales.

Les conversations engagées avec Londres en août 1911 aboutirent, en novembre 1912, à un accord de principe qui fut précisé, au début de 1913, par trois conventions d'État-major réglant la coopération de la flotte britannique et de la flotte française en cas de guerre menée en commun.

Il fut convenu que la première assurerait la maîtrise de la mer du Nord, du Pas de Calais et de la Méditerranée orientale tandis que la seconde se chargerait de la partie ouest de la Manche et de la Méditerranée occidentale, toutes deux devant d'ailleurs se prêter au besoin appui mutuel. (« Servez-vous de la base de Malte comme si elle était vôtre », a dit Churchill à notre attaché naval.) En 1914 la quasi-totalité de nos forces de mer se trouve en Méditerranée sous les ordres de l'amiral Boué de Lapeyrère, tandis que la Grande Flotte britannique, que commande Sir John Jellicoe, a été concentrée en mer du Nord.

L'Entente ne peut guère compter sur la marine russe qui est enfermée, soit dans la mer Noire, soit dans la Baltique. Elle n'en possède pas moins une très forte supériorité navale sur l'adversaire. Rien qu'en mer du Nord, aux 28 cuirassés, aux 4 croiseurs de bataille et aux 8 croiseurs cuirassés de la Grande Flotte britannique, l'Allemagne ne peut opposer que 20 cuirassés et 3 croiseurs de bataille. Quant à l'Autriche-Hongrie, elle ne dispose, comme vaisseaux de ligne, que de 11 cuirassés qui, dès le début des hostilités, s'enfermeront dans le port de Pola pour n'en plus sortir.

Au cours de la guerre l'Allemagne tentera de compenser son infériorité en navires de haute mer par un emploi intensif de l'arme sous-marine. Mais, à la fin, force lui sera de subir la loi de ses adversaires.

Quand, au début d'août 1914, les hostilités commencent, assez rares sont ceux qui devinent l'importance que prendra la lutte pour la maîtrise des mers. Seuls les Britanniques considèrent qu'un des objets principaux de la lutte doit être la destruction de la flotte allemande. Partout ailleurs on estime que la partie ne se jouera que sur terre.

*
* *

L'aviation est encore balbutiante. Pourtant la force aérienne française comporte déjà 27 escadrilles de huit avions chacune (biplans presque tous mais de modèles divers). Son personnel est de premier ordre : aux 225 pilotes officiers d'active s'ajoutent, dès la mobilisation, tous les grands « as » civils dont les exploits ont fait tant de bruit au cours des précédentes années. Mais ce personnel ne constitue pas un corps; ses membres sont détachés en différentes |armes et considérés un peu comme des sportifs.

L'aviation britannique ne compte que 84 appareils et la Russie 190 (ces derniers pour la plupart de fabrication française).

En face, l'Allemagne aligne environ 200 avions et l'Autriche-Hongrie 70.

A côté de l'aviation subsiste l'aéronautique des « plus lourds que l'air ». L'État-major allemand fonde sur les

Zeppelins rigides des espoirs qui seront déçus. Chez les Français, les ballons captifs d'observation — les « saucisses » — joueront longtemps un rôle important. En revanche celui des quelques « dirigeables » souples sera négligeable.

La guerre développera l'aviation de prodigieuse manière. Pendant les quatre années qu'elle durera, l'industrie française réussira ce tour de force de construire 51 000 avions. Dans le même temps l'Allemagne, avec un outillage très supérieur, n'en construira que 48 000.

Au début les avions seront presque uniquement employés à des missions de reconnaissance. A partir de 1916 certaines escadrilles seront spécialisées dans l'observation et le réglage d'artillerie, d'autres dans le bombardement, d'autres enfin dans la chasse. Des types spéciaux d'appareils seront progressivement mis au point pour chaque catégorie.

Sans jamais jouer de rôle absolument décisif, les forces aériennes tiendront, dans les opérations, une place qui ne cessera d'aller s'élargissant. L'activité des « chasseurs », avec son aspect individuel et chevaleresque, frappera particulièrement les imaginations. Le *Groupe des Cigognes* du commandant Brocard deviendra en France légendaire, tandis que Fonck, Guynemer, Nungesser, beaucoup d'autres encore, prendront, à la suite d'exploits indéfiniment répétés, figure de héros nationaux. Il en ira de même en Allemagne, notamment pour Richthofen, Udet et Boelke.

A partir de 1917 seront constituées des escadres aériennes à grande puissance offensive et la chasse collective se substituera à la chasse individuelle en même temps que les bombardements se feront systématiques.

Mention particulière doit être faite de l'aviation navale. Celle de la France ne compte en août 1914 que 14 hydravions; elle en comptera plus de 1 000 en 1918. Elle rendra de signalés services dans la surveillance de la Méditerranée et la protection de la côte Atlantique.

* * *

Dans une guerre courte — et c'est celle à laquelle on s'attend — le rapport des forces armées peut suffire à déterminer victoire ou défaite. Dans une guerre longue — et c'est est une qui s'ouvre en fait — il y faut ajouter le rapport des forces économiques et morales.

De par son développement industriel l'Allemagne, secondée de loin par l'Autriche-Hongrie, possède un outillage de guerre supérieur à celui de la France et de la Grande-Bretagne, très supérieur à celui de la Russie. En revanche elle ne dispose — charbon excepté — que d'une quantité limitée de matières premières.

Elle compte sur les neutres pour lui en fournir. A l'égard des arrivages par voie de terre, point de difficultés. Mais les arrivages par voie de mer risquent de se heurter aux croisières des marines ennemies. Dès le début des hostilités, la Grande-Bretagne et la France vont déclarer l'Allemagne en état de blocus et, pour rendre ce blocus plus effectif, elles n'hésiteront pas, un peu plus tard, à étendre la notion de « contrebande de guerre » au-delà de la définition donnée par la Conférence internationale tenue à Londres en 1909. D'où un grave embarras que le gouvernement de Berlin croira pouvoir surmonter d'abord en établissant, dès le 15 août 1914, un premier plan de rationnement, puis en instaurant, par représaille contre les initiatives alliées, la guerre sous-marine de course. Cette guerre sous-marine finira par lui valoir un adversaire dont l'intervention sera décisive : les États-Unis.

Au début des hostilités, la France ne prend que bien peu de dispositions d'ordre économique. La mobilisation a désorganisé l'industrie et l'agriculture ; les transports militaires accaparent les voies ferrées ; on ne vit plus que sur les stocks et les ouvriers non mobilisés ne trouvent pas de travail. Mais la guerre ne doit-elle pas être très brève ? L'armée n'a-t-elle pas, dans ses dépôts de matériel, des réserves abondantes ? Quant à son ravitaillement, l'exercice de son droit de réquisition ne permettra-t-il pas de l'assurer ? Et s'il faut faire des achats à l'extérieur, ne suffira-t-il pas de prélever une faible fraction des quatre milliards d'or enfouis dans les caves de la Banque de France ?

Le gouvernement s'est borné à faire voter, le 4 août, une loi établissant le moratoire des effets de commerce et une autre établissant le cours forcé des billets de banque. (Qui se rend compte alors que cette dernière mesure enterre à jamais le franc de germinal défini par 290,32 milligrammes d'or fin ?) Le 14 août, un décret a en outre décidé le moratoire des loyers (on ne se doute guère des séquelles qu'entraînera cette mesure), mais pas un instant l'éventualité d'un rationnement des denrées n'a été envisagée.

En Grande-Bretagne, moins d'entraves encore à la liberté économique. Les Anglais entrent dans le conflit en gens de cœur et en sportifs. Pour l'homme de la rue, il s'agit essentiellement de porter secours à la petite Belgique, envahie au mépris d'un traité solennel que le chancelier allemand a eu l'audace de traiter de « chiffon de papier ». Il s'agit aussi d'une aventure excitante à laquelle les jeunes hommes sans charge de famille doivent tenir à honneur de participer volontairement, mais qui ne saurait en aucun cas modifier les conditions de la vie civile. « *Business as usual...* les affaires comme d'habitude. » On ne songe même pas à décréter le cours forcé.

Quant à la Russie, si elle possède sur son immense territoire des réserves considérables de matières premières — houille, fer, cuivre, pétrole, coton —, son équipement industriel est très insuffisant et c'est à ses alliés qu'elle doit demander le matériel de guerre qui lui manque. Mais elle ne le peut importer que par la mer Blanche, laquelle n'est libre de glaces que pendant un court été, ou par les Dardanelles et le Bosphore lesquels seront bientôt fermés. D'où une situation qui ne tardera pas à devenir angoissante et à laquelle la bureaucratie tsariste, routinière et quelquefois vénale, sera bien incapable de faire face.

Bref, au début de la guerre, les Empires centraux, l'Allemagne surtout, semblent se rendre mieux compte que leurs adversaires de l'importance du facteur économique. Moins de gaspillage chez eux et meilleure organisation. Cela leur permettra de faire durer, bien au-delà du temps prévisible, les ressources limitées dont ils disposent.

*
* *

Forces morales pour finir.

L'Union sacrée proclamée entre Français par le président Poincaré n'est point formule creuse ; le souffle patriotique qui anime les soldats fait aussi vibrer les civils y compris les plus ardents antimilitaristes de la veille : le vieux communard Édouard Vaillant, député du XXe arrondissement parisien, qui naguère demandait qu'à l'ordre de mobilisation on opposât la grève générale, invite maintenant les socialistes mobilisés à combattre « pour la France, pour la République, pour l'Humanité » ; les chefs syndicalistes sentent que, s'ils tentaient de se mettre en travers du mouvement qui entraîne toute la nation, ils seraient brisés et ils emboîtent le pas. « A ce moment-là, dira Merrheim, secrétaire de la Fédération des métaux, la classe ouvrière, soulevée par une formidable crise de nationalisme, n'aurait pas laissé aux agents de la force publique le soin de nous fusiller ; elle nous aurait fusillés elle-même. » Aussi bien ces chefs sont-ils remplis d'amertume par ce qu'ils nomment la « trahison » des syndicalistes allemands, et sur leurs lèvres l'épithète de *Boche*, dont on commence à affubler le Germain, rend un son particulièrement méprisant. L'application des lois sociales est en fait suspendue sans que nulle protestation s'élève ; les réunions syndicales sont désertées.

En même temps, on assiste à une véritable promotion féminine. Aristocrates et bourgeoises se multiplient, organisant des hôpitaux et des cantines, assumant parfois des postes de responsabilité ; les femmes du peuple remplacent courageusement les mobilisés dans la boutique, à l'atelier et aux champs. Dès le début se dessine cette activité de la femme française qui suscitera, pendant toute la durée des hostilités, l'admiration générale.

Nulle part plus qu'au Parlement ne se manifeste l'esprit nouveau. La majorité envoyée quelques mois auparavant au Palais-Bourbon avec un programme hostile à la loi de trois ans semble vouloir se le faire pardonner. Le 4 août elle vote sans discussion une série de mesures exceptionnelles : droit donné au gouvernement de suspendre la liberté de la presse, confirmation sans limite de temps du régime d'état de siège, autorisation accordée au ministre des Finances d'engager des dépenses et d'émettre des emprunts sans autorisation législative et de se procurer des ressources extraordinaires sous forme d'avances de la Banque de France. Ce vote acquis, les Chambres, dont nombre de membres ont déjà revêtu l'uniforme, se séparent, laissant au Conseil des ministres le soin de les convoquer. Par accord tacite, le pouvoir n'est plus dans les Assemblées, plus même au sein du gouvernement : il est au Grand Quartier général de Vitry-le-François, où Joffre s'installe sans que le sentiment des écrasantes responsabilités qui désormais pèsent sur ses épaules altère un instant sa placidité.

Cette belle unanimité ne durera qu'un temps : on reverra se manifester les revendications ouvrières, les œuvres féminines seront parfois le lieu de mesquines rivalités, on réentendra les couloirs des Assemblées bourdonner d'intrigues, le Commandement fera l'objet de vives critiques (pas toujours injustifiées). Quelque chose pourtant subsistera jusqu'à la fin de la ferveur initiale. Ferveur d'autant plus remarquable qu'elle n'est alors alimentée par aucune des formules qu'inventera plus tard la propagande : « Combat pour le Droit et la Civilisation... Guerre pour mettre fin aux guerres... Lutte pour assurer dans le monde la sécurité des Démocraties. » Il s'agit encore de patriotisme à peu près pur.

Un patriotisme analogue existe en Allemagne, moins fondé sur l'attachement au sol et davantage sur l'instinct d'expansion. Le peuple allemand est véritablement convaincu qu'on veut l'encercler, et c'est avec enthousiasme qu'il se prépare à déjouer ce prétendu dessein. Il a d'autre part le goût du *Zusammenmarschieren*, de la marche collective, et la guerre l'attire plutôt qu'elle ne l'effraie.

Aux yeux des Anglais, on l'a dit plus haut, cette guerre revêt d'abord l'aspect d'un sport. Mais d'un sport auquel il serait, quand on a l'âge d'y participer, peu honorable de ne le point faire. L'afflux aux bureaux de recrutement de jeunes gens pressés de se battre « pour le roi et pour le pays » témoigne de la force de ce sentiment. On assiste d'ailleurs à une ébauche d'union nationale : sans renoncer à ses droits, l'opposition conservatrice se soumet à une discipline volontaire, imitée en cela par le groupe irlandais. Seule une petite minorité du groupe travailliste, dirigée par Ramsay Mac Donald, prend ouvertement position contre la guerre, mais elle est l'objet d'une réprobation presque générale.

Ce ne sont, entre les principaux belligérants, que les Russes et les Austro-Hongrois qui connaissent de sérieux dissentiments internes. Dissentiments masqués par l'action policière, réels pourtant. En Russie il n'existe point de véritable communauté de pensée entre la cour et l'administration d'une part, la nation de l'autre. Si les *moujiks* se laissent docilement enrôler, les ouvriers ne renoncent pas à s'agiter et point davantage les salons à faire au gouvernement une petite guerre larvée. En Autriche-Hongrie les officiers s'interrogent sur la fidélité de leurs soldats d'origine slave, cependant que le professeur Masaryk, l'un des chefs du mouvement tchèque, se prépare secrètement à passer la frontière pour aller plaider, auprès des milieux politiques franco-anglais, la cause de son pays.

En bref, bloc moral à peu près sans fissure en France, en Grande-Bretagne et en Allemagne, sourdement lézardé en Russie et en Autriche-Hongrie. Au fur et à mesure que la guerre se prolongera les lézardes s'élargiront.

Au début d'août 1914 aucune d'elles n'est encore bien apparente. C'est, dans l'ensemble, non seulement avec résignation, mais avec élan, que les peuples d'Europe se jettent, tête baissée, dans la sanglante aventure dont nul encore ne peut prévoir l'issue, tant les forces en présence semblent s'équilibrer.

CHAPITRE III

LA GUERRE DE MOUVEMENT

CONCENTRATION DES ARMÉES FRANÇAISES. ‖ BATAILLES PERDUES DE SARREBOURG ET DE MORHANGE. ‖ L'ENNEMI DESSINE A TRAVERS LA BELGIQUE UN MOUVEMENT TOURNANT DONT JOFFRE MÉCONNAIT L'AMPLEUR. ‖ DÉFAITE DE CHARLEROI. ‖ ERREURS STRATÉGIQUES ET TACTIQUES. ‖ LE « GOEBEN » ET LE « BRESLAU » SE RÉFUGIENT A CONSTANTINOPLE. ‖ LES RUSSES DÉFAITS EN PRUSSE ORIENTALE. ‖ REMANIEMENT MINISTÉRIEL. ‖ GALLIENI GOUVERNEUR DE PARIS. ‖ « DE LA SOMME AUX VOSGES... » ‖ L'ARMÉE DE KLUCK MARCHE SUR PARIS. LE GOUVERNEMENT SE RÉFUGIE A BORDEAUX. JOFFRE, TOUT EN FAISANT RECULER SES ARMÉES AVEC LEUR AILE DROITE POUR PIVOT, ENVISAGE UNE CONTRE-OFFENSIVE. « LIMOGEAGES ». ‖ L'ARMÉE KLUCK OBLIQUE VERS LE SUD. GALLIENI PROPOSE DE JETER SUR SON FLANC L'ARMÉE MAUNOURY. JOFFRE DONNE SON ASSENTIMENT ET FIXE AU 6 SEPTEMBRE LA DATE DE LA CONTRE-OFFENSIVE. VICTOIRE DE LA MARNE. ESPOIRS QU'ELLE SUSCITE. ‖ PERSISTANCE DE LA CROYANCE EN UNE GUERRE COURTE. ‖ ACTIVITÉ DIPLOMATIQUE. LE PACTE DE LONDRES. VAINES TENTATIVES POUR RALLIER L'ITALIE ET LES BALKANIQUES. ‖ LA TURQUIE ET LE JAPON ENTRENT EN GUERRE. ‖ ATTITUDE DES ÉTATS-UNIS. ‖ LES ALLEMANDS ARRÊTENT LEUR RETRAITE SUR L'AISNE. ‖ LA « COURSE A LA MER ». ‖ FOCH CHARGÉ DE COORDONNER L'ACTION DES ARMÉES DU NORD. ‖ LA « MÊLÉE DES FLANDRES ». ‖ LES ADVERSAIRES, ÉPUISÉS, S'IMMOBILISENT. ‖ LES OPÉRATIONS A L'EST. ‖ LES POUVOIRS PUBLICS RENTRENT A PARIS. ‖ BILAN DE 1914.

LE 1er AOUT 1914, le gouvernement français a décrété la mobilisation générale, le 3 août l'Allemagne nous a déclaré la guerre. La concentration de nos forces ne doit être achevée que le 13. Dès le 5, Joffre pousse une force de cavalerie dans le Luxembourg belge et, le 7, un corps d'armée sur Mulhouse. Ce double raid va se solder par un double échec : les cavaliers, après s'être heurtés à des forces supérieures, rebroussent chemin ; Mulhouse, où nos troupes sont reçues avec un émouvant enthousiasme, devra être évacué au bout de trois jours.

Simple lever de rideau : on va passer à l'effort que l'on croit décisif. Le 8 août, par son *Instruction générale n° 1*, le commandant en chef prescrit aux armées des mouvements qui, avec certaines variantes, procèdent logiquement du Plan XVII.

En principe, il s'agit de rechercher la bataille « toutes forces réunies ». Pourtant les trois armées de l'aile droite (Pau, Dubail, Castelnau) prendront seules au début l'offensive en direction, la première de Mulhouse, la deuxième de Sarrebourg, la troisième de Morhange. Les armées du centre et de l'aile gauche ont l'ordre d'attendre, pour passer à l'attaque, que les intentions de l'ennemi se soient précisées.

Menée du 14 au 21 août, la bataille dite « des frontières de l'est » est perdue par nous. Nos fantassins font preuve d'un admirable mordant, mais l'« esprit offensif » ne saurait à lui seul prévaloir contre la supériorité du feu. Pau, après avoir un instant repris Mulhouse, doit se replier sur la crête méridionale des Vosges ; Dubail fait retraite sur la Vesouze et Castelnau sur le Grand-Couronné de Nancy. Les pertes éprouvées devant Morhange ont été particulièrement cruelles.

Cependant il est devenu manifeste que l'aile droite allemande prépare un vaste mouvement tournant. Dès le 6 août elle a attaqué Liège ; le 16, elle s'est emparée des derniers forts défendant la place et s'est répandue sur la rive gauche de la Meuse, mettant en danger l'armée belge qui, le 19, guidée par le roi Albert, se réfugie dans le camp retranché d'Anvers. L'ennemi occupe maintenant le centre de la Belgique, non sans y commettre les pires atrocités, et menace de prendre notre aile gauche à revers.

Joffre persiste à sous-estimer l'importance des effectifs allemands engagés. Néanmoins il fait remonter jusqu'à la Sambre l'armée Lanrezac qui est à l'extrême gauche de la ligne française. Il espère qu'elle sera étayée par l'armée britannique, mais celle-ci n'est pas encore en place quand, le 22, les forces de Lanrezac sont attaquées de part et d'autre de Charleroi. Ici encore mitrailleuses et obusiers ont raison du Lebel et de la baïonnette. Terriblement éprouvées, nos troupes doivent, le 24, battre en retraite sur une ligne Givet-Maubeuge. De leur côté, les Anglais, enfin arrivés, se sont immédiatement trouvés soumis, autour de Mons, à un feu destructeur, et force leur est aussi de reculer en bon ordre mais à vive allure.

Le G.Q.G. a un moment pensé que nos armées du centre pourraient efficacement intervenir en tombant sur le flanc de l'ennemi. Mais leur offensive, mal engagée dans la difficile région des Ardennes, se disperse dans de malheureux combats de rencontre. Ce terrain-là aussi doit être cédé.

Il est désormais évident que les conceptions tant stratégiques que tactiques du Haut Commandement étaient radicalement fausses.

Stratégiquement, l'application des principes du Plan XVII s'est révélée soit impossible, soit désastreuse. On s'est lourdement trompé au sujet de la composition comme de la disposition des forces ennemies. On n'a pas, en fait, attaqué « toutes forces réunies » et, des deux batailles simultanées qui devaient amener la rupture du front ennemi, une seule, celle de Lorraine et de haute Alsace, a été livrée pour être perdue. Plus au nord, on s'est rendu compte beaucoup trop tard de la manœuvre ennemie et ce retard a obligé notre gauche et notre centre à un changement de front. Enfin, on a négligé de constituer une armée de réserve pouvant rapidement se porter, par les lignes intérieures, sur les points les plus menacés.

Tactiquement, on a méconnu la puissance possible des feux d'infanterie ; on n'a pas deviné l'infranchissable obstacle que pouvait constituer un barrage de mitrailleuses ; on a mal utilisé une artillerie d'ailleurs insuffisante ; on a fait présomptueuse confiance aux vertus de l'« offensive à outrance », du « mouvement en avant jusqu'au corps à corps » et de l'« arme froide ».

Le résultat ? Des flots du meilleur sang français répandus et le territoire national envahi par l'ennemi.

*
* *

Tandis qu'à l'ouest ces événements se déroulaient, il s'en passait d'autres en Méditerranée et en Prusse orientale dont les conséquences devaient être aussi graves.

Quand la guerre a éclaté, deux navires allemands de type très moderne, le *Goeben*, croiseur de bataille, et le *Breslau*, croiseur léger, se trouvaient dans la mer Adriatique. Il eût fallu les attaquer et les couler sur-le-champ, ce qui était d'autant plus possible que l'Italie venait de déclarer sa neutralité. Mais la flotte française, chargée d'assurer la sécurité en Méditerranée occidentale, était alors fort occupée à protéger le transport dans la métropole du corps d'armée d'Algérie et, bien qu'elle se composât de dix-neuf cuirassés et de quatorze croiseurs, sans parler des contre-torpilleurs et des sous-marins, son chef, amiral Boué de Lapeyrère, ne crut pas pouvoir en distraire quelques unités pour donner chasse aux navires ennemis. (L'amiral sera accusé de timidité. Il convient cependant de dire que le corps algérien, arrivé sain et sauf, va jouer un rôle décisif au cours de la bataille de la Marne.) Quant aux onze croiseurs britanniques manœuvrant en Méditerranée orientale, une suite de malentendus (dans lesquels les ordres obscurs émanés de l'Amirauté eurent leur part) les empêcha de rejoindre à temps le *Goeben* et le *Breslau* qui, le 10 août, parvinrent à franchir les Dardanelles et à mouiller devant Constantinople.

La loi internationale eût dû obliger le gouvernement turc à désarmer les deux croiseurs. Mais ce gouvernement, où les « Jeunes Turcs » du Comité Union et Progrès faisaient la loi, était tombé depuis plusieurs années sous l'influence de Berlin et il avait conclu, le 2 août, un accord secret avec l'Allemagne. Il se contenta d'acheter fictivement le *Goeben* et le *Breslau* tout en leur conservant leurs équipages allemands.

C'est dès le milieu d'août que, conformément aux accords d'État-major conclus avec la France, deux fortes armées russes ont pénétré en Prusse orientale. La première, sous les ordres du général Rennenkampf, devait marcher sur Koenigsberg et retenir le gros des forces allemandes tandis que la seconde, commandée par le général Samsonov, se porterait, par les lacs Mazuriques, sur le flanc droit de l'ennemi. L'infériorité numérique des Allemands est évidente et leur chef veut ordonner la retraite, mais il est destitué et remplacé par un vétéran de haute réputation, le général de Hindenburg, auquel est adjoint un habile stratège, le général Ludendorff.

L'armée Samsonov, engagée dans une région maréca-
geuse, a pris du retard. Ne laissant qu'un rideau de troupes
devant Koenigsberg, Hindenburg se jette sur elle et, par
une série de manœuvres hardies menées au voisinage de
Tannenberg, réussit à l'encercler. Le 30 août, ses débris
capituleront et Samsonov se suicidera.

Hindenburg se tournera alors contre Rennenkampf,
demeuré jusque-là dans une coupable inertie, le battra près
des lacs Mazuriques et le refoulera au-delà du Niemen.

Quelques jours auparavant, il est vrai, une autre armée
russe aura défait les Austro-Hongrois en Galicie. Mais ceci
ne compensera pas cela. Le « rouleau compresseur » russe
n'est décidément point l'irrésistible machine que les journaux français se plaisaient à décrire.

***

Paris, matin du 24 août. Un long télégramme de Joffre
parvient au ministère de la Guerre. Il relate les échecs subis
sur la frontière du nord et conclut :

« Notre but doit être de durer le plus longtemps possible en nous efforçant d'user l'ennemi et de reprendre
l'offensive le moment venu. »

Coup de massue. Jusque-là le G.Q.G. s'était montré très
chiche de renseignements et, si le gouvernement était au
fait de la situation dans l'Est, il ignorait ce qu'elle était
dans le Nord. Voici maintenant qu'au télégramme de Joffre
s'ajoutent des coups de téléphone de préfets révélant l'affolement des populations menacées d'invasion. Déjà, aux
environs de Maubeuge et de Lille, de lamentables théo-
ries s'ébranlent, piétons, carrioles et bétail mêlés, qui
poussent à l'aventure vers le sud. Messimy, ministre de la
Guerre, confère avec Gallieni, qui vient d'être atteint par
la limite d'âge mais dont la réputation est grande : il apparaît que Paris peut être à bref délai menacé et qu'il n'est
pas en état de défense. Le 25 à l'aube, Messimy signe un
ordre prescrivant au commandant en chef de donner à la
capitale une garnison de trois corps d'armée actifs au
minimum. (Cet ordre ne sera d'ailleurs pas exécuté.)
Quelques heures après il obtient du Conseil des ministres
l'autorisation de nommer Gallieni gouverneur militaire
de Paris.

Le grand public ne sait encore rien. Depuis le début des hostilités il n'a été informé que par une presse qui, soumise à une étroite censure, ne publie que des nouvelles souvent fantaisistes, toujours optimistes, et qui a surtout brodé autour de l'éphémère entrée de nos troupes à Mulhouse. On se résout aujourd'hui à publier un communiqué avouant un « arrêt de l'offensive ».

Le 26, nouvelles toujours fâcheuses. Joffre fait savoir qu'il étudie les moyens d'arrêter l'ennemi « en montant une manœuvre nouvelle », mais qu'en attendant il compte replier son centre et sa gauche sur une ligne Verdun-Amiens. Le seul point satisfaisant est la résistance victorieuse opposée par nos troupes entre Nancy et Belfort : de ce côté, il y a un pivot qui tient.

Députés et sénateurs assiègent l'Élysée et la présidence du Conseil. Sous leur pression et sur le conseil de Poincaré, Viviani se décide à remanier et élargir son ministère : Briand reçoit le portefeuille de la Justice, Delcassé celui des Affaires étrangères, Ribot celui des Finances. A la Guerre Messimy, jugé trop nerveux et cassant, se voit remplacé par Millerand. Pour la première fois deux socialistes unifiés pénètrent dans le gouvernement : le spirituel et paradoxal Marcel Sembat comme ministre des Travaux publics et le vieux marxiste Jules Guesde en qualité de ministre sans portefeuille. Manifestation d'Union sacrée. Toutefois Clemenceau, pressenti, s'est dérobé : il veut être chef du gouvernement ou rien.

En même temps Gallieni prend, aux Invalides, possession du gouvernement militaire de Paris et aussitôt s'emploie à mettre le camp retranché en état de défense.

Au cours des journées qui suivent, les informations reçues sont confuses. Le G. Q. G. affirme que « tout va bien » et signale un certain nombre d'heureux combats locaux, notamment ceux livrés le 26 sur la Meuse. Le 28 pourtant il publie un communiqué précisant que la ligne s'étend « de la Somme aux Vosges » : cet aveu de recul suscite à Paris une émotion intense que le succès emporté le 29 par l'armée Lanrezac au sud de Guise ne suffit pas à calmer.

On sait d'ailleurs vite que la retraite se poursuit, et les initiés s'inquiètent de l'attitude de l'armée anglaise laquelle, durement éprouvée, semble vouloir rompre le combat et se retirer sur la Seine. Les mêmes apprennent maintenant

que l'aile droite allemande, commandée par le colonel-
général de Kluck, a dépassé Montdidier et marche sur Paris.

De Dunkerque à Beauvais, nous ne disposons que d'un
dérisoire rideau constitué par quelques divisions territoriales sous les ordres du général Brugère. Mais, par prélè-
vement sur diverses parties du front, Joffre vient maintenant de constituer une nouvelle armée, la VIe, qui tient la

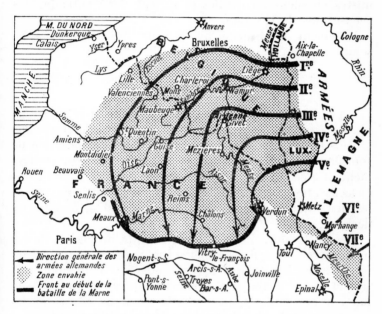

LA BATAILLE DITE DES FRONTIÈRES, 1914.

région entre Beauvais et Senlis immédiatement à l'ouest
des Britanniques. Le 1er septembre Gallieni obtient que
cette armée soit placée sous son autorité pour coopérer à
la défense de la capitale. Cette défense pourtant ne paraît
rien moins qu'assurée et, le 2 septembre, sur l'insistance
du G. Q. G., le transfert à Bordeaux des pouvoirs publics
— président de la République, gouvernement, Chambres
— est décidé. Avant de partir, Poincaré signe une proclamation à la population parisienne.

« Sans paix ni trêve, sans arrêt ni défaillance continue
la lutte pour l'honneur de la nation et pour la réparation
du droit violé... Mais, pour donner à cette lutte formidable

tout son élan et toute son efficacité, il est indispensable que le gouvernement demeure libre d'agir... »

Le lugubre voyage a lieu dans la nuit du 2 au 3. A la suite des pouvoirs publics, toute une foule de Parisiens, journalistes, gens d'affaires, gens de théâtre, riches oisifs, courtisanes huppées, se précipitent, par des moyens de fortune, vers le chef-lieu de la Gironde. Les rumeurs les plus pessimistes circulent auxquelles se mêlent, bien entendu, des accusations de trahison.

Rarement la France avait connu des heures aussi sombres.

*
* *

Cependant, dans son Grand Quartier général qu'il a transféré de Vitry à Bar-sur-Aube, Joffre demeure imperturbable.

Sans doute s'est-il trompé quand, pour l'élaboration de son plan d'opérations et de ses premiers ordres de mouvement, il a écouté les suggestions d'un entourage de théoriciens assurés de leur infaillibilité. Il n'en possède pas moins les deux qualités suprêmes : le sang-froid et l'esprit de décision.

Dès le 24 août, il s'est rendu compte de l'échec de ses manœuvres, mais il a en même temps constaté que, si les forces françaises étaient battues, elles n'étaient point brisées et que leur aile droite tenait solidement. Aussitôt son parti a été pris : l'indispensable était de conserver les armées en main et d'éviter leur désorganisation ; il fallait donc, en utilisant leur droite comme pivot, les faire reculer jusqu'au moment où, ayant suffisamment pris du champ, elles pourraient opérer une volte-face. L'*Instruction générale n° 2* en date du 25 août a reflété cette pensée.

En même temps, le généralissime a apporté au commandement des grandes unités des modifications d'importance. De nombreux chefs jugés par lui incapables, fatigués ou simplement trop nerveux, ont été destitués. La plus remarquée — et la plus discutée — de ces disgrâces a frappé Lanrezac, commandant de la Ve armée ; cet officier général aussi brillant que lucide venait pourtant, en pleine retraite, d'emporter à Guise une petite victoire, mais il était coléreux, pessimiste et surtout se permettait de discuter les ordres du G. Q. G. En revanche, d'autres chefs ont été promus, bien choisis et bien adaptés, notamment Franchet d'Esperey nommé à la place de Lanrezac, Maunoury mis à la tête de la nouvelle VIe armée, et Foch pour lequel un détachement d'armée a été constitué qui deviendra bientôt la IXe armée.

Une difficulté a été posée par l'armée britannique sur laquelle le commandant en chef français n'a pas d'autorité officielle. Mais ici il s'est révélé diplomate et il a su, par des voies quelquefois indirectes, à peu près gagner Sir John French à ses vues.

Si Joffre a décidé de reculer en attendant de pouvoir passer à la contre-offensive, il ne sait point au juste où s'arrêtera ce recul. En fait il lui a successivement fixé plusieurs limites, mais toutes se sont révélées impossibles à tenir. Le 1er septembre pourtant, dans son *Instruction générale no 4*, complétée le lendemain par une note secrète aux commandants d'armée, le généralissime a déterminé une ligne qui ne devrait en aucun cas être dépassée et qui d'ailleurs ne serait pas forcément atteinte. Cette ligne passait par Pont-sur-Yonne, Nogent-sur-Seine, Arcis-sur-Aube, Brienne-le-Château et Joinville : c'est dire qu'elle était établie en partie derrière la Seine et laissait le camp retranché de Paris en situation plus que périlleuse. Mais la doctrine de l'État-major était qu'aucune place, fût-elle la capitale, n'avait d'importance par elle-même et que tout devait être subordonné aux nécessités manœuvrières des armées.

Depuis leurs victoires initiales, les armées allemandes d'invasion se sont affaiblies ; elles ont éprouvé de lourdes pertes, il leur a fallu laisser de forts détachements devant Anvers et devant les quelques places du Nord de la France qui résistent encore, deux corps d'armée leur ont été ôtés pour être expédiés en Prusse orientale, leurs lignes d'étape se sont dangereusement étirées, enfin leur commandement suprême ne les tient pas d'une main ferme. Moltke, qui exerce ce commandement au nom de Guillaume II, manque d'énergie ; il ne quitte pas son Quartier général de Luxembourg et il laisse à ses subordonnés une latitude génératrice de manœuvres discordantes.

Le plan de Moltke comportait une marche en direction sud-ouest de l'ensemble des forces allemandes, leur aile droite, commandée par le général de Kluck, devant enlever

Paris. Mais le 2 septembre, alors que ses avant-gardes atteignaient déjà Senlis, Kluck a décidé de s'infléchir vers le sud-est en laissant Paris à sa droite. Sa pensée — conforme à la doctrine selon laquelle la destruction des forces ennemies doit toujours constituer l'objectif essentiel — était de déborder le gros des forces françaises et de les couper définitivement de la capitale. Le 2 au soir, Moltke, bon gré mal gré, a ratifié ce changement de programme.

Dans la soirée du 3, des renseignements obtenus par avions de reconnaissance et patrouilles de cavalerie parviennent à Joffre et à Gallieni les informant de l'inflexion de l'armée Kluck. Tous deux aperçoivent le parti à en tirer. Mais le second réagit plus vite que le premier. Alors que le généralissime songe toujours à se replier sur la ligne fixée par son *Instruction générale n°* 4 et qu'il n'envisage pas de contre-attaquer avant le 7, le gouverneur de Paris — nous sommes au 4 septembre, 9 heures du matin — invite l'armée Maunoury, qui a été placée sous ses ordres, à se préparer à marcher le lendemain vers l'est, droit au flanc de Kluck.

De cette initiative le chef d'État-major du gouverneur de Paris rend compte par fil au G. Q. G. et à la fin de l'après-midi Gallieni téléphone personnellement à Joffre. Dans l'intervalle celui-ci a beaucoup réfléchi ; il a aussi appris que Foch et Langle de Cary, chefs des armées du centre, étaient prêts à la bataille. Aussi approuve-t-il les dispositions prises par le gouverneur et décide-t-il que, sans reculer davantage, on attaquera le 6.

Décision qui va forcer les destins. A 20 heures 30 Gallieni, fort de l'assentiment du commandant en chef, ordonne à Maunoury de passer à l'exécution. Au soir de cette mémorable journée du 4 septembre, le « jeu est rangé ».

Reste toutefois à convaincre Sir John French qui persiste à vouloir se replier au-delà de la Seine. Le 5, tandis que les troupes de Maunoury entrent en contact avec celles de Kluck sur les hauteurs à l'ouest de l'Ourcq, Joffre se rend à Melun, Quartier général du maréchal anglais. Celui-ci se montre d'abord maussade mais le commandant en chef français, sortant pour une fois de son calme, frappe du poing sur la table et s'écrie : « Il y va de l'honneur de l'Angleterre, monsieur le Maréchal ! »

L'autre rougit et promet son concours.

Le 6 septembre, à 7 heures 30 du matin, Joffre signe une proclamation aux armées :

Au moment où s'engage une bataille dont dépend le sort du pays, il importe de rappeler à tous que le moment n'est plus de regarder en arrière... Une troupe qui ne pourra plus avancer devra, coûte que coûte, garder le terrain conquis et se faire tuer sur place plutôt que de reculer.

L'appel est compris : les hommes, pourtant épuisés par quinze jours d'une pénible retraite, se redressent et font face à l'ennemi avec un courage, un élan, une allégresse même au-dessus de toute description. Jamais, depuis l'an II, souffle patriotique aussi pur n'anima une armée française.

Le front du combat dessine, de Verdun au nord de Meaux, un arc incurvé. Sur les instructions de Joffre, la IIIe armée française attaque le flanc gauche des forces allemandes tandis que la VIe, la Ve et l'armée britannique martèlent leur flanc droit. Au centre, en dépit de leur étirement, la IVe et la IXe armée — c'est Foch qui commande celle-ci — opposent à la poussée allemande une héroïque résistance. Joffre, dont c'est véritablement le jour de gloire, a su, selon les meilleurs principes de l'art militaire, s'assurer, aux endroits les mieux choisis, la supériorité numérique sur son adversaire. Il a « réussi ce tour de force de renverser le déséquilibre initial en opposant cinquante-six divisions à une quarantaine et même, sur le point décisif, vingt-quatre à une dizaine ».

La bataille fait rage pendant trois jours. Le commandement ennemi, qui pensait pouvoir aisément bousculer des troupes démoralisées, va de surprise en surprise. L'une d'elles est causée, le 7, par l'irruption inattendue d'une division qui, débarquée le matin à Paris, a été immédiatement portée au combat dans 700 taxi-autos Renault réquisitionnés sur l'ordre de Gallieni.

Dès le 8, les trois armées de la droite allemande sont disloquées. Le 9 elles battent en retraite. Le 10 à l'aube, Moltke ordonne le repli général. Les Franco-Britanniques ont gagné la bataille de la Marne.

« Que des hommes, écrira Kluck de ses vainqueurs, ayant reculé pendant quinze jours, que des hommes couchés par terre et à demi morts de fatigue, puissent reprendre le fusil et attaquer au son du clairon, c'est une chose avec laquelle

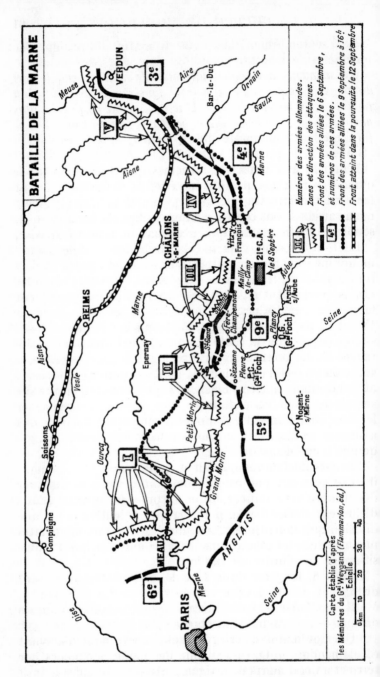

BATAILLE DE LA MARNE, SEPTEMBRE 1914.

nous autres Allemands nous n'avions jamais appris à compter, c'est là une possibilité dont il n'avait jamais été question dans nos écoles de Guerre. »

*
* *

C'est le 10 au matin qu'un officier de l'État-major de Gallieni a, le premier, annoncé, par téléphone, la déroute allemande aux ministres français réunis à Bordeaux. La première réaction a été d'incrédulité, la seconde de joie poignante. Et cette joie a été partagée par tous les Français quand ils ont connu le communiqué du G. Q. G. : « La bataille de la Marne s'achève en une victoire incontestable... » On voit déjà la France libérée, l'Allemagne à son tour envahie et réduite à implorer la paix.

La politique toutefois ne tarde pas à reprendre ses droits. Le gouvernement regrette de s'être trop hâté d'abandonner la capitale et il y dépêche deux de ses membres, Briand et Sembat, pour y juger de la situation. On s'inquiète en effet de la popularité de Gallieni auprès des Parisiens et on lui prête de dangereuses ambitions. N'a-t-il pas pris dans son entourage des personnalités civiles connues, notamment Paul Doumer, ancien Président de la Chambre ?... Ne méditerait-il pas un coup de force ?...

Les deux ministres se rendent vite compte que le gouverneur de Paris est le plus loyal des serviteurs de l'État et qu'il ne songe qu'à mettre le camp retranché à l'abri d'un possible retour offensif de l'ennemi.

Les pouvoirs publics vont-ils rentrer dans la capitale ? Gallieni n'y tient pas, Joffre s'y oppose formellement et le retour définitif n'aura lieu qu'en décembre.

En attendant, Bordeaux est une fourmilière où circulent les rumeurs les plus contradictoires. Viviani, président du Conseil, manifeste une nervosité croissante. En revanche, Millerand, ministre de la Guerre, se montre parfaitement calme et décidé à faire entière confiance à Joffre.

Il faut cependant administrer. Tâche peu aisée : de nombreux départements sont occupés par l'ennemi ; tous ceux qui se trouvent dans la « zone des armées » sont placés sous l'autorité du G. Q. G. ; ailleurs les préfets se révèlent souvent fort mal adaptés aux circonstances nouvelles. Malvy, le ministre de l'Intérieur, ne semble pas accablé par le poids de ses responsabilités : léger et désinvolte, on le rencontre presque aussi souvent dans les restaurants élégants de Bordeaux que dans son cabinet. Sa préoccupation dominante paraît être de maintenir des contacts avec les milieux d'extrême gauche ; ceux-ci continuent d'ailleurs à ne pas bouger.

On reste convaincu que la guerre ne saurait se prolonger au-delà de quelques semaines, et il n'est toujours pas question ni d'élaborer un plan de rationnement ni de rendre à l'industrie les bras dont l'absence la paralyse. Seule la question financière suscite des préoccupations immédiates car les impôts rentrent fort mal et la Trésorerie est plus que gênée. Ribot, ministre des Finances, imagine un procédé aussi souple qu'efficace d'appel à l'épargne publique : le 13 septembre il institue les *Bons de la Défense nationale*, à très court terme, à intérêts précomptés et pouvant être divisés en coupures de faible valeur. Le succès s'affirme aussitôt : à la fin de l'année, il aura été souscrit pour 2 milliards de ces bons.

Entre tous les départements ministériels, c'est celui des Affaires étrangères, dont Delcassé vient de reprendre la direction, qui manifeste l'activité la plus intense.

Dès le 5 septembre, alors qu'on ne savait encore où s'arrêterait l'invasion allemande en France, alors aussi que les armées russes venaient d'éprouver en Prusse orientale une terrible défaite, les ambassadeurs de France et de Russie à Londres, dûment accrédités par leurs gouvernements, ont signé avec le secrétaire d'État au *Foreign Office* un pacte au terme duquel les trois pays se sont engagés à ne pas conclure de paix séparée. Au pire moment de la lutte la cohésion des « puissances de l'Entente » s'est trouvée ainsi affirmée.

Cette entente toutefois, on souhaiterait fort de l'élargir. La décision prise par l'Italie de rester neutre a déjà constitué un grand succès. Ne serait-il pas maintenant possible de l'amener à se ranger à nos côtés ? Camille Barrère, notre ambassadeur à Rome, n'en désespère pas, mais son action est vivement combattue par celle de l'ancien chancelier de Bülow qui maintenant représente l'Allemagne auprès du Quirinal. Aussi bien, avant de se prêter à aucune négociation, le gouvernement italien, attend-il de pouvoir faire un pari sur les chances de victoire...

La Suède, la Norvège, le Danemark, les Pays-Bas et l'Espagne ont, dès le début des hostilités, proclamé une neutralité dont il paraît impossible de les faire sortir. Mais les États balkaniques n'offriraient-ils pas un terrain plus favorable ?

La Roumanie a bien conclu en 1883 un traité d'alliance défensive avec l'Autriche-Hongrie, et le roi Carol est Allemand de cœur. Toutefois le président du Conseil Bratiano incline vers l'Entente, et l'opinion publique désire ardemment que la Transylvanie soit arrachée aux Habsbourg. On espère un instant que la défaite subie par les Austro-Hongrois en Galicie déterminera la Roumanie à prendre les armes contre eux. Mais le gouvernement de Bucarest, tiraillé en sens divers, se dérobe.

Le succès n'est pas meilleur auprès de la Bulgarie. Il est d'autant plus impossible de lui promettre le retour d'une partie des territoires que la Serbie lui a enlevés en 1913 que les Serbes viennent de repousser victorieusement une armée austro-hongroise d'invasion. Le gouvernement de Sofia, qui n'eût accepté d'intervenir que contre promesses précises, affirme sa neutralité. De même le gouvernement d'Athènes, qui est pourtant en principe l'allié de la Serbie, et dont le chef, Eleutherios Venizelos, est hostile aux Empires centraux. Mais le roi Constantin, beau-frère de Guillaume II, a pour la force germanique un respect presque craintif et les deux hommes se neutralisent mutuellement.

Aussi bien l'attitude de plus en plus pro-allemande de la Sublime Porte donne-t-elle à réfléchir aux puissances balkaniques et les incite-t-elle à persévérer dans une prudente expectative.

Non contente en effet d'avoir donné asile au *Goeben* et au *Breslau* sans les désarmer, la Turquie vient, le 9 septembre, de fermer les Détroits à la navigation commerciale. En vain les ambassadeurs de l'Entente protestent-ils et réclament-ils le renvoi de la mission militaire allemande : le gouvernement de Constantinople fait la sourde oreille ; le 1er novembre il déclarera la guerre à l'Entente et, le 16, le Sultan, en sa qualité de Commandeur des Croyants, ira jusqu'à appeler contre elle tous les musulmans à la guerre sainte.

Ainsi la Russie va-t-elle être coupée de sa seule voie de

communication aisée avec ses alliés de l'Ouest : dangereux isolement qui ne sera étranger ni à la prolongation de la guerre ni à la révolution soviétique.

Les diplomaties de l'Entente vont-elles, à ces déboires, trouver une compensation du côté japonais ? Le 23 août l'Empire du Soleil levant, allié de la Grande-Bretagne, s'est proclamé en état d'hostilité contre l'Allemagne. On espère, en France surtout, qu'il acceptera d'envoyer un corps expéditionnaire en Europe. Vaine illusion. Le gouvernement de Tokio ne songe qu'à s'emparer de la concession allemande de Kiao-Tchéou, en territoire chinois, pour étendre ensuite ses opérations au Chan-Toung et il fait gravement savoir à notre représentant que les soldats nippons « ne sont pas des mercenaires ».

Reste une nation puissante dont les belligérants ne peuvent manquer de se disputer la faveur : les États-Unis. Jusserand, notre ambassadeur à Washington, y a une forte position. Mais toutes ses tentatives de séduction se heurtent à la volonté pacifiste du président démocrate Woodrow Wilson et aussi aux réserves que suscite chez les Américains l'extension donnée par la France et par l'Angleterre à la notion de contrebande de guerre. Quand les deux puissances décideront, en octobre, de considérer d'office comme destinées à l'ennemi toutes les marchandises acheminées vers un port neutre voisin de l'Allemagne, ces réserves iront jusqu'à l'aigreur.

Nulle part donc, en dépit des efforts fébriles de leurs diplomates, en dépit même des perspectives favorables que vient d'ouvrir à leur cause la victoire de la Marne, les pays de l'Entente ne trouvent, pendant l'automne 1914, de nouveaux concours. C'est, pour le moment au moins, sur leurs seules forces qu'ils doivent compter.

Les tractations menées à l'ombre des chancelleries n'ont d'ailleurs qu'une minime importance au regard de la lutte gigantesque qui se poursuit sur les champs de bataille.

***

Lorsque, le 10 septembre, le repli général des forces allemandes est devenu manifeste, Joffre a donné l'ordre à ses armées de se lancer à leur poursuite. Bien que courageusement menée, cette poursuite a manqué de vigueur car les troupes étaient à bout de forces et les munitions commençaient à faire défaut. Néanmoins, le 12, la Marne était largement dépassée et l'ennemi rejeté au-delà de la Vesle.

Le lendemain notre avance s'est heurtée à la très vigoureuse résistance que lui a opposée, sur l'Aisne, la nouvelle armée allemande qui venait d'être constituée à l'aide de deux corps d'armée amenés des Vosges et d'éléments libérés par la récente capitulation de Maubeuge. Le 14, les autres armées ennemies se raidissent et rétablissent entre elles un front continu.

Pour déborder par l'ouest ce front improvisé, Joffre pousse l'armée Maunoury sur le plateau entre Aisne et Oise. Mais le mouvement manque d'ampleur et se heurte vite à des obstacles insurmontables. De son côté le général de Falkenhayn, qui a remplacé Moltke comme chef du Grand État-major impérial, fait avancer vers sa droite des unités fraîches qui essaient, d'ailleurs en vain, d'envelopper l'armée Maunoury.

Pendant plus de trois semaines ces tentatives de débordement réciproque vont se propager en direction du nord. Le 17 septembre Joffre appelle de Lorraine la IIe armée (armée Castelnau) et l'établit de part et d'autre de la Somme. Mais Falkenhayn lui oppose aussitôt une force comparable qui brise ses attaques. Le commandant en chef français lance alors, dans la région d'Arras, une nouvelle armée (la Xe, général de Maud'huy) puis, dans la région de Lille, l'armée britannique, ramenée du Tardenois. Chaque fois les Allemands opèrent des mouvements parallèles quand même ils ne les devancent pas. Des combats très durs ont lieu dont nul n'est décisif. Les cavaleries, lancées en pointe, s'épuisent en vain. Le défaut de munitions se fait de plus en plus sentir. Déjà, çà et là, les fantassins, recrus de fatigue, creusent de petites tranchées pour y trouver un abri provisoire. En dépit de tentatives répétées, aucun des adversaires ne parvient à « coiffer » l'autre. Ce n'est que le 7 octobre, en vue de la côte, que s'arrêtera par force cette hallucinante « course à la mer » dont la mer n'était pas le but.

Le 4 octobre Joffre a chargé le général Foch, jusque-là commandant de la IXe armée, de coordonner, avec le titre d'adjoint au commandant en chef, l'action des forces alliées étagées entre l'Oise et le littoral flamand.

Ferdinand Foch est un Tarbais né en 1851. Polytechnicien comme Joffre, il a fait une carrière toute différente ; entré dans l'artillerie, il n'a pas servi aux colonies mais est passé par l'École de Guerre dont il est devenu ensuite un des plus brillants instructeurs en attendant d'en être, en 1906, nommé commandant.

Il n'a néanmoins rien du pur théoricien. Si son caractère bouillant en fait un partisan de la doctrine offensive, son bon sens l'amène à y apporter des tempéraments qui l'ont fait quelquefois taxer de timidité par les fanatiques de l'outrance. Irradiant l'énergie, constamment tourné vers l'action, prompt dans ses jugements et dans ses décisions, intuitif, souvent emporté mais toujours équitable, c'est un chef-né.

La guerre l'a trouvé commandant du 20e corps d'armée, corps d'élite. La manière dont, au cours des premières semaines de lutte, il a exercé ses fonctions lui a valu d'être placé par Joffre à la tête d'une armée. Là il a eu la bonne fortune de se voir adjoindre, comme chef d'état-major, le lieutenant-colonel Maxime Weygand, cavalier d'origine, non « breveté », mais soldat dans l'âme et d'une intelligence en quelque sorte filtrante. Weygand possède le don d'expliciter fidèlement, avec une clarté lumineuse, les instructions elliptiques et parfois sibyllines de Foch. Les deux hommes se complètent et leur collaboration a fait merveille pendant la bataille de la Marne.

Délégué de Joffre auprès des armées du Nord, Foch a presque aussitôt rétabli, son magnétisme personnel aidant, une situation qui, en différents points, fléchissait. Il va maintenant avoir la tâche difficile de conjuguer des forces appartenant à trois nations différentes et de les dresser en infranchissable barrière contre un violent effort de l'adversaire.

Au milieu d'août, on l'a vu, l'armée de campagne belge s'était réfugiée sous la place d'Anvers, jugée imprenable. Mais au début d'octobre il est apparu que cette place ne pourrait résister longtemps au terrible bombardement qui l'accablait ; en dépit des adjurations de Winston Churchill, le roi Albert a décidé de l'évacuer à la tête de six divisions, sa volonté étant de continuer la lutte en liaison avec le gros des forces alliées.

Le repli s'est effectué d'abord sur Gand, ensuite sur la zone Nieuport-Dixmude. Immédiatement au sud et à l'ouest de cette zone se trouve maintenant l'armée anglaise, que grossissent trois divisions hindoues et australiennes nouvellement débarquées, ainsi que la quinzaine de divisions françaises envoyées à la hâte par Joffre.

Sur cette masse un peu hétérogène se jette, à partir du 18 octobre, une puissante armée ennemie en partie composée d'unités fraîches. La pensée du commandement allemand n'est plus d'opérer une manœuvre d'enveloppement, mais de s'assurer la possession des ports — Dunkerque, Calais, Boulogne — où débarquent en nombre croissant les Britanniques.

Dans cette « mêlée des Flandres », on peut distinguer deux batailles : celle de l'Yser (18-30 octobre) au cours de laquelle l'ouverture des écluses et l'inondation de la plaine à l'est du fleuve permettent d'enrayer la poussée allemande ; celle d'Ypres (30 octobre-15 novembre) qui s'analyse en une série d'attaques et de contre-attaques livrées entre Lille et le nord d'Ypres.

La lutte, très sanglante, menée sous une pluie battante et en terrain spongieux, donne lieu à des épisodes héroïques. Les Belges, animés par le roi Albert, font preuve d'une ténacité croissante, et les fusiliers marins français du contre-amiral Ronarc'h se couvrent de gloire. L'issue néanmoins eût probablement été fatale sans l'énergie, l'ardeur communicative et le génie organisateur du général Foch.

Au milieu de novembre, décimés, harassés, les adversaires s'immobilisent. En décembre pourtant Joffre fait, dans la région Lorette-Carency et au nord-est de Suippes, deux tentatives pour rompre un front en voie de cristallisation. Conçues sans ampleur, mal appuyées par une artillerie très insuffisante, elles échouent l'une et l'autre.

Force est de le reconnaître : si les Allemands ont manqué leur grande manœuvre d'enveloppement des armées alliées, s'ils ne sont pas non plus parvenus à s'emparer des ports du Pas-de-Calais, en revanche nous ne sommes pas arrivés à les rejeter hors de nos frontières.

De part et d'autre de l'immense front qui s'étend de la frontière suisse à la mer du Nord, on creuse des tranchées de plus en plus profondes, on les couvre par des réseaux de fil de fer barbelé, on commence à les doubler d'une seconde ligne. A la guerre de mouvement va succéder, à l'Ouest, une guerre de position.

Sur les fronts orientaux, l'étendue des espaces empêche la lutte de prendre le même aspect. Une accalmie ne s'y produit pas moins.

A la fin d'août et au début de septembre, on le sait, les Russes ont subi en Prusse orientale deux graves défaites ; ils en ont en revanche infligé une en Galicie aux Austro-Hongrois. Une armée allemande, sous les ordres de Hindenburg, s'est portée au secours de ces derniers, mais, sous la menace des très importantes forces rassemblées contre elle par le grand-duc Nicolas, commandant en chef des armées russes, elle s'est repliée en Pologne septentrionale. De sanglantes batailles ont ensuite été livrées qui, bien qu'ayant plutôt tourné à l'avantage des Allemands, n'ont pas donné de résultats décisifs.

En décembre le front germano-russe se stabilise sur une ligne nord-sud passant un peu à l'ouest de Varsovie, cependant que les Austro-Hongrois sont contenus au débouché des Carpates.

A la fin de 1914 on doit constater que, partout ou presque, l'énormité des masses engagées, la ténacité des combattants, la puissance enfin des modernes engins de mort ont fini par déjouer les calculs les plus savants des États-majors. Force va être à ces États-majors de « repenser » les conditions de la guerre. Empêtrés dans leurs traditions d'école, ils ne le feront pas sans peine.

Cependant la marine britannique n'a pas laissé s'emporter des avantages dont les conséquences seront, à longue échéance, très importantes.

Dans l'Atlantique sud, elle a, en novembre, anéanti, près des îles Falkland, la petite escadre de l'amiral Spee et assuré, du moins provisoirement, la sécurité des routes maritimes reliant l'Amérique méridionale et centrale à l'Europe.

Dans la mer du Nord, elle a, dès le mois d'août, occupé l'île d'Héligoland ; elle tient maintenant en respect la flotte allemande de haute mer et elle va, en janvier 1915, obtenir près de Doggerbank, un succès qui, bien que non décisif, déterminera cette flotte à se réfugier à Kiel et à s'y tenir à l'abri en attendant que des sous-marins aient été construits en nombre suffisant pour établir une sorte d'équilibre entre les forces navales de l'Allemagne et celles de l'Angleterre.

***

A l'intérieur de la France, la victoire de la Marne avait suscité une immense espérance. La « course à la mer », d'abord considérée comme une poursuite victorieuse, a ensuite provoqué des questions inquiètes. La « mêlée des Flandres » fournit maintenant aux quotidiens matière à des articles d'un pittoresque héroïsme, mais elle ne va pas sans s'accompagner de journées d'angoisse.

On ne sait d'ailleurs rien de précis, car les communiqués du G. Q. G. sont systématiquement optimistes et la censure reste d'une sévérité frisant parfois l'absurdité. « Pourvu, raille Alfred Capus, successeur de Calmette à la tête du *Figaro*, qu'on ne parle pas en ses écrits, ni de l'autorité, ni du gouvernement, ni de la politique, ni des corps constitués, ni des sociétés de crédit, ni des blessés, ni des atrocités allemandes, ni du service des postes, on peut tout imprimer librement sous l'inspection de deux ou trois censeurs. »

Seul Clemenceau ose, dans son *Homme Libre*, publier des articles qui paraissent d'autant plus violents que la censure les parsème de plus de blancs. Mais, pour avoir dénoncé l'incurie qui a permis que des blessés, entassés dans des wagons à bestiaux non désinfectés, contractassent le tétanos, *L'Homme Libre* se voit suspendu. Le « Tigre » le fait aussitôt reparaître sous le titre de *L'Homme Enchaîné* et il n'y ménage pas les coups de griffe, Poincaré étant sa victime de prédilection.

Cette contrainte ne peut empêcher qu'on s'aperçoive du nombre toujours croissant de familles en deuil, de l'épuisement des stocks en magasin, des difficultés naissantes du ravitaillement, de la quasi-impossibilité où l'on va être, faute de bras, d'effectuer convenablement les semailles. Elle ne peut empêcher non plus que parviennent des lettres de combattants trahissant d'affreuses souffrances, laissant deviner aussi les insuffisances du service de Santé et la pénurie de munitions... Le moral de l'intérieur, sans s'affaisser, est moins élevé qu'au début. A Bordeaux, députés et sénateurs assaillent les ministres de requêtes, de plaintes et s'irritent du flegme taciturne opposé par Millerand. A Paris, l'entourage de Gallieni, mécontent de la méfiance que le G. Q. G. témoigne à l'égard du « patron », ne manque guère une occasion, quand un visiteur influent se présente, de lui souligner les erreurs commises dans la conduite des opérations.

Au fur et à mesure que le centre de la lutte s'est déplacé vers le Nord, il a paru de plus en plus évident que la France ne saurait longtemps avoir deux capitales. Au début d'octobre Poincaré n'y tient plus et vient passer deux jours à Paris, accompagné de Millerand. Il y revient plusieurs fois au cours des semaines suivantes à l'occasion des visites qu'il tient à faire aux armées. Quand le front est décidément stabilisé, les principaux services ministériels regagnent les bords de la Seine. Enfin, le 20 décembre, c'est le retour officiel du gouvernement et des Chambres.

La vie parlementaire va reprendre, d'abord au ralenti puis plus active. Déjà s'estompe le souvenir de la séance enthousiaste où fut proclamée l'Union sacrée. Certes les partis gardent leurs drapeaux repliés, les rivalités de personnes ne se manifestent que sourdement, on croit toujours à une assez prompte et complète victoire, on demeure résolu à ne pas accepter d'autre paix que celle qui nous rendra l'Alsace et la Lorraine... Beaucoup de généreux élans n'en sont pas moins retombés.

La dramatique année 1914 s'achève sans qu'un observateur impartial puisse pressentir ce que réserve l'année nouvelle. Le certain est que, déjà, des haines inextinguibles ont été allumées, d'irréparables ruines matérielles semées, d'innombrables existences fauchées dans leur fleur. Rien que chez les Français, plus de 300 000 tués, outre quelque 600 000 blessés, prisonniers ou disparus. Les pertes allemandes sur le front ouest sont évaluées à 757 000 hommes.

Signe caractéristique des temps inaugurés le 4 août : le pape Benoît XV qui, le 3 septembre, a succédé à Pie X sur le trône pontifical, a proposé qu'une trêve fût observée le jour de Noël par toutes les armées combattantes ; son appel est tombé dans le vide.

CHAPITRE IV

L'ANNÉE STÉRILE : 1915

LA GUERRE DE TRANCHÉES. ‖ DÉFAUT DE MATÉRIEL ET DE MUNITIONS. ‖ LE COMMANDEMENT EN CHEF NE RENONCE PAS A LA « PERCÉE » ET DÉCLENCHE AU PRINTEMPS PLUSIEURS VAINES ET COUTEUSES OFFENSIVES. ‖ STÉRILE TENTATIVE NAVALE POUR FORCER LE PASSAGE DES DARDANELLES. ‖ L'OPÉRATION TERRESTRE PAR GALLIPOLI N'AURA PAS PLUS DE SUCCÈS. ‖ L'ITALIE ENTRE EN GUERRE DANS LE CAMP DE L'ENTENTE. ‖ TRAITÉ DE LONDRES. ‖ LES RUSSES, BATTUS, SE REPLIENT EN DEÇA DE LEUR FRONTIÈRE. ‖ LE BLOCUS NE GÊNE PAS ENCORE SENSIBLEMENT LES EMPIRES CENTRAUX. ‖ DÉBUT DE LA GUERRE SOUS-MARINE, MÉCONTENTEMENT DES AMÉRICAINS. ‖ MARASME DE LA PRODUCTION EN FRANCE. NÉCESSITÉ D'IMPORTATIONS MASSIVES. INFLATION. DÉBUT DE LA HAUSSE DES PRIX. ‖ RÉVEIL DU SYNDICALISME. ACTION DE MERRHEIM, SECRÉTAIRE DE LA FÉDÉRATION DES MÉTAUX. CONFÉRENCE DE ZIMMERWALD. LE MONDE OUVRIER FRANÇAIS ENCORE FIDÈLE, DANS SA MASSE, A L'UNION SACRÉE. ‖ NOUVELLES TENTATIVES DE « PERCÉE » EN CHAMPAGNE ET EN ARTOIS. ELLES NE DONNENT AUCUN RÉSULTAT. ‖ LA BULGARIE SE RALLIE AUX EMPIRES CENTRAUX. ‖ UNE ARMÉE SARRAIL, CONSTITUÉE A SALONIQUE, N'EMPÊCHE PAS L'INVASION DE LA SERBIE. ‖ DÉMISSION DU MINISTÈRE VIVIANI, CONSTITUTION D'UN MINISTÈRE BRIAND. GALLIENI MINISTRE DE LA GUERRE. ‖ JOFFRE, MALGRÉ LES CRITIQUES DONT IL EST L'OBJET, VOIT SES POUVOIRS AUGMENTÉS. ‖ L'ARMÉE FRANÇAISE IMPERMÉABLE A LA PROPAGANDE PACIFISTE. ‖ ÉTAT MORAL DES DIFFÉRENTS BELLIGÉRANTS. ‖ EN DÉPIT DU SANG RÉPANDU LES PLATEAUX DE LA BALANCE RESTENT EN ÉQUILIBRE.

DÉBUT de 1915. Le front occidental est maintenant continu. Tout l'édifice des expériences anciennes s'écroule, toutes les règles de l'art militaire sont à réviser. Guerre de siège si l'on veut, mais d'un type inédit puisque chaque adversaire est à la fois assiégeant et assiégé.

Séparés l'un de l'autre par un étroit *no man's land*, les deux systèmes de tranchées s'amplifient, se ramifient, se hérissent de parapets, se garnissent de sacs de terre, se jalonnent d'abris profonds, poussent des boyaux, des postes avancés, des galeries de mines et des couloirs d'approche, se flanquent de mitrailleuses, se gonflent de réduits fortifiés. Le génie a donné les premières leçons, mais les fantassins comme les cavaliers démontés qui peu à peu les rejoignent deviennent vite habiles à manier pelle et pioche, à boiser les galeries, à bourrer les fourneaux de mines.

L'homme est un animal adaptable ; les soldats s'accoutument à cette existence de troglodytes, menée dans la boue et perpétuellement aux aguets. Les uniformes neufs dont on les a revêtus à la mobilisation ne sont plus souvent que loques, et l'Intendance, prise au dépourvu, remplace capotes bleues et pantalons rouges, devenus immettables, par de curieux effets de velours côtelé. Farouche, hirsute, emmitouflé de cache-nez et de passe-montagnes, le « poilu » français — on commence à lui donner ce nom — offre plutôt la silhouette d'un braconnier ou d'un trappeur que celle du militaire classique. Ce n'est qu'à partir du printemps qu'on verra apparaître les premières tenues « bleu horizon », puis les premiers casques de tranchées, et que notre armée reprendra progressivement allure martiale. « Le soldat bien vêtu, a écrit Joubert, s'estime plus lui-même. »

Les munitions manquent, surtout pour l'artillerie. Au début de la guerre on avait prévu 15 000 coups de 75 par jour pendant quelques semaines ; on en a tiré quotidiennement plus de 60 000 pendant cinq mois ; il est évident qu'il en faudrait tirer davantage, et les magasins sont presque vides. D'autre part, avec la forme que prend la guerre, le défaut de canons à tir courbe et de mitrailleuses se fait chaque jour plus cruellement sentir. Le ministère de la Guerre a bien créé, sous l'impulsion du général Baquet, directeur de l'Artillerie, un comité composé d'industriels chargé de hâter la transformation des usines de paix en usines de guerre, d'accélérer les fabrications, de répartir les commandes et d'en surveiller l'exécution. Ce comité besogne avec énergie, mais la mise en route est lente.

Nos houillères du Nord et du Pas-de-Calais sont occupées par l'ennemi : il faut que l'État importe du charbon anglais.

Tous les hommes en âge de porter les armes ont été mobilisés : on se décide à mettre en affectation spéciale les ouvriers métallurgistes appartenant à la territoriale. Provisoirement le nombre de coups que les batteries de 75 sont autorisées à tirer est rigoureusement limité ; d'antiques canons de siège et de défense côtière à tir lent sont exhumés des arsenaux ; on improvise des ateliers où sont, tant bien que mal, fabriqués des engins que l'on croyait périmés : grenades et mortiers de tranchées auxquels le soldat donne par onomatopée, le nom de « crapouillots ».

Le commandement allemand se plie aisément à un genre de guerre qui favorise la défensive plus que l'offensive. Il s'en félicite même, car elle lui permet de retirer de l'Ouest plusieurs grandes unités pour les diriger vers l'Est : c'est en effet sur le front Est que, depuis l'échec de son offensive en Flandre, il espère forcer la décision. (En fait, une de ses armées va, en Prusse orientale, près d'Augustowo, emporter une nouvelle grande victoire sur les Russes, mais, pas plus que les précédentes, celle-ci ne sera décisive.)

Le commandement français, lui, ne se résigne qu'à grand-peine à la situation et il est lent à mesurer l'ampleur des moyens qu'exi-

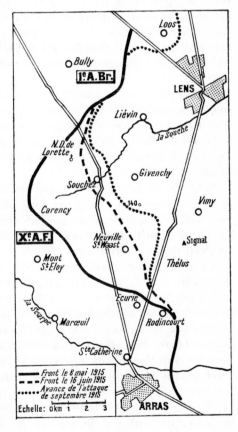

BATAILLE DE CHAMPAGNE
ET D'ARTOIS, 1915.

gerait sa modification. Pour « entretenir l'esprit offensif des troupes », pour « réagir contre l'action déprimante de la tranchée » et aussi pour soulager le front russe, il monte une série d'opérations qui, extrêmement sanglantes, ne donnent aucun positif résultat : du milieu de février au milieu de mars, offensive en Champagne ; en avril, offensive de part et d'autre de Saint-Mihiel et sur les côtes de Meuse ; en mai et juin, offensive en Artois. Les Anglais, pendant ce temps, livrent dans les Flandres une série de batailles qui ne sont pas moins stériles. (C'est au cours de l'une d'elles que, le 22 avril, les Allemands font pour la première fois usage de l'arme redoutable que leurs chimistes viennent d'inventer : les gaz toxiques.) Tout au plus, après d'acharnées attaques et contre-attaques, reste-t-on maître de quelques tranchées ennemies. Gain infime, payé par des pertes épouvantablement lourdes (chez les Français seulement, 215 000 tués, disparus ou prisonniers et 480 000 blessés graves).

Le courage avec lequel les « poilus » vont à l'assaut ne peut prévaloir contre l'intensité du feu allemand. Foch, plus rapide que Joffre à saisir la signification de ces échecs, note dans le cahier qu'il porte toujours avec lui : « La percée au sens propre du mot... semble devenue impossible depuis le nouvel armement. »

Tant de sacrifices ne réussissent même pas à soulager le front russe et à empêcher nos alliés d'être encore une fois battus. Sous le martèlement allemand, leur ligne des Carpates fléchit et, en juin, ils devront partout se replier en deçà de leurs frontières.

A Paris, les commissions parlementaires — la commission sénatoriale de l'Armée surtout, dont Clemenceau et Doumer sont les animateurs — s'émeuvent et insistent pour que de nouvelles batailles ne soient pas engagées tant que l'on ne disposera pas d'une quantité convenable de canons lourds et de munitions. Les députés mobilisés que leur mandat autorise à faire des apparitions au Palais-Bourbon y relatent d'effrayantes histoires, et dans les couloirs Joffre n'est pas ménagé. Sans doute, depuis la Marne, son prestige est-il trop grand dans le pays et auprès des Alliés pour que le gouvernement ose le relever de son commandement. Mais entre les pouvoirs publics et le G. Q. G. — maintenant installé à Chantilly — les rapports s'aigrissent. Seul ou à

peu près, Millerand soutient imperturbablement le général
en chef.

* *
*

Dès que l'immobilisation du front ouest est devenue
probable, plusieurs hommes d'État de l'Entente — notamment Briand en France et Churchill en Angleterre — se
sont demandé si ce n'était pas ailleurs qu'il fallait s'efforcer
de chercher la décision.

Ailleurs, ce pouvait être en Autriche-Hongrie à travers
la Grèce et la Serbie ; ce pouvait être aussi à Constantinople à travers les Dardanelles.

La première opération avait la faveur de Briand. Elle
aurait eu l'avantage de bénéficier du concours de l'armée
serbe dont la valeur venait d'être prouvée par la victoire
emportée par elle, en novembre, sur une armée austro-
hongroise. Mais elle eût rendu nécessaire d'abord une
atteinte à la neutralité grecque, ensuite l'engagement
d'effectifs considérables : deux éventualités désagréables,
l'une aux diplomates, l'autre aux États-majors.

La seconde opération était celle qu'après quelques hésitations Churchill, premier Lord de l'Amirauté, s'était
décidé à préconiser. En cas de succès elle devait permettre
de donner la main aux Russes et de leur fournir des armes.
Sans doute aussi déterminerait-elle les neutres balkaniques à se ranger dans le camp de l'Entente. Mais il fallait
d'abord réussir à s'emparer du détroit des Dardanelles.

Malgré l'opposition de l'amiral Fisher, premier Lord
maritime, Churchill finit par faire prévaloir ses vues. Au
début, on envisagea un débarquement de forces terrestres sur la côte turque, la marine se contentant d'un rôle
d'appui. Mais les autorités militaires, tant britanniques que
françaises, ayant fait savoir qu'il était pour le moment
impossible de distraire une seule division du front ouest, il
fut décidé que l'affaire serait purement navale.

Le 19 février, une escadre composée de quatorze bâtiments de ligne anglais et de quatre français se présenta
devant les Dardanelles et bombarda les quatre forts qui en
constituaient la défense extérieure. Interrompue par le
mauvais temps, l'attaque ne fut reprise qu'à la fin du mois :
le 2 mars les forts turcs n'étaient plus qu'un monceau de
ruines.

Du temps fut ensuite perdu parce que l'on attendait l'arrivée du corps de débarquement que le commandement franco-britannique s'était enfin décidé à envoyer ; ce temps fut mis à profit par les Turcs et par leurs instructeurs allemands pour améliorer les défenses intérieures du détroit. Le 18 mars, bien que les troupes promises ne fussent toujours pas arrivées, l'amiral anglais de Robeck, commandant

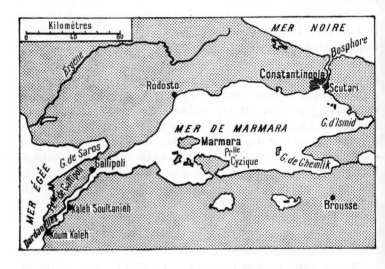

OPÉRATION DES DARDANELLES, 1915.

supérieur de l'escadre alliée, résolut de tenter le forcement du passage. Malheureusement on se heurta, non seulement aux obus tirés du rivage, mais à un barrage de mines qui avait échappé à l'attention des dragueurs. Trois navires, dont le cuirassé français *Bouvet*, firent explosion, et le soir Robeck donna l'ordre de rompre le combat.

Le chef de la division française, contre-amiral Guépratte, insista pour qu'il fût repris le lendemain. Peut-être avait-il raison : les défenses du détroit avaient été durement atteintes, les instructeurs allemands de l'armée turque étaient fort inquiets et déjà le sultan se préparait à quitter Constantinople. Mais l'amiral anglais préféra surseoir. En fait, l'offensive navale sur les Dardanelles ne devait jamais être renouvelée.

Elle n'avait pas été sans inquiéter le gouvernement de Pétersbourg pour qui Constantinople constituait un essentiel but de guerre et qui craignait de s'y voir devancé par les Anglais. Des bruits avaient même couru concernant la possibilité d'une paix séparée entre ce gouvernement et celui de Berlin. Ému, le cabinet de Londres se laissa, le 12 mars, arracher une déclaration secrète, et bien contraire aux traditions de la politique britannique : en cas de victoire, Constantinople ainsi que les rives du Bosphore et des Dardanelles seraient attribuées à la Russie. Le 11 avril, le gouvernement français souscrivit à cette déclaration.

Sur ces entrefaites les forces terrestres longtemps attendues arrivèrent en mer Égée. Forces plus importantes que d'abord prévu : 28 000 Anglais, 35 000 Australiens et Néo-Zélandais, 17 000 Français. Le général d'Amade, chef du contingent français, eût souhaité que l'on débarquât sur la côte asiatique de la Turquie, à 100 kilomètres au sud des Dardanelles ; on eût trouvé là un vaste territoire ouvert à la manœuvre en direction de Constantinople, mais le commandant supérieur de l'expédition, le général britannique Sir Ian Hamilton, préféra l'étroite presqu'île de Gallipoli, prolongement de la côte d'Europe au nord immédiat du détroit.

Le débarquement commence le 15 avril sous un feu intense. Malgré des prodiges de valeur, les assaillants ne parviennent pas à dépasser de beaucoup les plages et, leur avance arrêtée, il leur faut s'enterrer dans des tranchées. C'est en vain que des renforts considérables seront envoyés et que des attaques massives seront déclenchées ; toute progression sérieuse se révélera impossible, les pertes seront effrayantes et le souvenir de l'« enfer des Dardanelles » hantera longtemps les survivants.

Avant même que l'échec soit manifeste, il entraîne un remaniement du cabinet britannique où entrent plusieurs conservateurs de marque et où Churchill doit échanger l'Amirauté contre la sinécure de chancelier du duché de Lancastre.

En France, l'affaire ajoute à la nervosité que les échecs des offensives lancées en Champagne et en Artois ont suscitée dans les milieux politiques. Millerand ne reste à la tête du ministère de la Guerre qu'en acceptant de s'y vois flanqué de quatre sous-secrétaires d'État parlementair

(Albert Thomas à l'Artillerie, Joseph Thierry à l'Intendance, Justin Godart au Service de Santé, René Besnard à l'Aéronautique). Briand aperçoit le moment où il sera appelé à prendre la tête du gouvernement et, conseillé par le général Franchet d'Esperey, recommence à rouler dans sa tête le projet salonicien.

*
* *

Si, au cours de la première partie de 1915, l'Entente ne connaît guère, militairement, que des déboires, elle emporte en revanche un grand succès diplomatique : l'Italie se range à ses côtés.

Dès le 12 août 1914, la France, l'Angleterre et la Russie lui ont fait savoir que, si elle leur apportait son concours armé, Trente, Trieste et Vallona seraient, à la paix, le prix de ce concours. Le gouvernement de Rome, fidèle à son « égoïsme sacré », s'est alors tourné vers l'Autriche-Hongrie et lui a demandé une promesse équivalente. Le gouvernement austro-hongrois a d'abord refusé puis, pressé par l'Allemagne, il a fini, en décembre, par donner un assentiment de principe. Mais, au début de 1915, il s'est de nouveau dérobé et l'ambassade d'Italie à Vienne a constaté qu'il était inutile de prolonger la conversation.

Pendant ce temps les représentants de l'Entente à Rome, et surtout l'ambassadeur de France Camille Barrère, ne sont pas restés passifs : non contents d'agir de tout leur pouvoir auprès du roi Victor-Emmanuel III et des ministres, ils se sont assuré l'utile concours de certains particuliers, notamment du grand écrivain Gabriele d'Annunzio et aussi d'un journaliste encore peu connu mais déjà écouté dans quelques milieux socialistes, Benito Mussolini.

Au début de mars, quand commence l'attaque contre les Dardanelles, Sonnino, ministre des Affaires étrangères, accepte de renouer des pourparlers avec l'Entente à condition que celle-ci enchérisse sur ses offres de l'année précédente. Informés, les Empires centraux prennent peur et le gouvernement de Vienne se déclare disposé à donner satisfaction partielle aux exigences italiennes.

Très partielle à la vérité. L'Italie — qui est persuadée que sa décision fera pencher la balance des forces — se trouve donc en face d'une alternative : ou elle persistera dans la neutralité et l'Autriche lui concédera sur-le-champ une faible fraction des territoires qu'elle convoite ; ou elle fera cause commune avec l'Entente et obtiendra, en cas de victoire, la quasi-totalité de ces territoires. Pendant quinze jours le gouvernement de Rome mène, sans beaucoup de vergogne, deux négociations parallèles puis, Vienne se refusant à toute concession supplémentaire, il se résout à opter pour l'Entente.

Le 26 avril 1915, un traité secret est signé à Londres entre la France, la Grande-Bretagne, la Russie et l'Italie. Celle-ci entrera en guerre dans le délai d'un mois. A la paix elle recevra le Trentin, le Tyrol cisalpin jusqu'au Brenner, Trieste, l'Istrie, Vallona, une partie de la Dalmatie et éventuellement la région d'Adalia en Asie Mineure.

La diplomatie française a certes supérieurement manœuvré et c'est à bon droit que Barrère reçoit les félicitations du gouvernement. Le traité de Londres toutefois suppose qu'en cas de victoire l'Empire austro-hongrois sera dépecé. Un dépècement analogue de l'Empire ottoman a déjà été anticipé par la déclaration anglo-russe du 12 mars. Se rend-on exactement compte à Paris de la conséquence des vides qui seront ainsi créés ? Il est vrai qu'au printemps de 1915 le présent est trop inquiétant pour que l'on puisse beaucoup songer à l'avenir...

Sous la pression de l'opinion publique et malgré la résistance du vieil homme d'État Giolitti, l'Italie entre effectivement en guerre à la fin de mai, mettant en ligne 37 divisions d'infanterie, quelques-unes de cavalerie et une artillerie assez médiocre.

Cette intervention n'a pas les résultats immédiats escomptés. L'attaque que les Italiens déclenchent en juillet dans le massif montagneux du Carso ne donne que de maigres résultats et n'empêche pas les Austro-Hongrois de coopérer avec les Allemands dans la grande offensive que ces derniers mènent au même moment contre les Russes. Offensive dirigée par Hindenburg et couronnée de succès : pour échapper à l'enveloppement, les Russes doivent abandonner Varsovie et se replier sur une ligne allant de Riga au nord à Tarnopol au sud. L'empire des tsars est désormais envahi et, si d'inépuisables réserves humaines lui permettent de reconstituer l'effectif de ses armées, nombre de fantassins ne sont plus armés que de bâtons.

*_**

Pour consoler le public français du peu de succès des opérations militaires et pour l'entretenir dans la pensée que la guerre ne saurait se prolonger beaucoup, les journaux font grand état des effets du blocus auquel sont soumis les Empires centraux. Ceux-ci, affirme-t-on, seraient réduits à la famine et, comme preuve, d'étranges histoires sont rapportées : telle celle de ces soldats allemands qu'on aurait attiré hors de leur tranchée rien qu'en leur montrant de loin des tartines de confiture...

Sans doute l'ennemi est-il étroitement bloqué du côté de la mer. Ni la flotte allemande ni la flotte autrichienne n'osent sortir de leurs abris et les quelques croiseurs qui sillonnaient les océans lointains en y faisant la guerre de course ont été, à l'exception d'un seul, le *Dresden*, détruits par la marine anglaise dès 1914. Du même coup les colonies de l'Allemagne se sont trouvées entièrement coupées de la métropole, le Togo a été conquis par les Franco-Britanniques, le Cameroun le sera bientôt, et les Australiens ont occupé Samoa. En outre, pour assurer définitivement son contrôle du canal de Suez, la Grande-Bretagne a transformé le protectorat de fait qu'elle exerçait sur l'Egypte en protectorat officiel.

Néanmoins, les Empires centraux n'ont été envahis que pour une faible partie et pendant peu de temps ; leurs usines, leurs mines de fer et de charbon, leurs champs de céréales sont intacts ; ils disposent aussi des houillères du nord de la France. De plus, ils ont su imposer à temps des restrictions à leurs populations. (Un « Office de céréales » a notamment été institué à Berlin qui oblige les boulangers à mélanger à la farine une certaine proportion de pommes de terre.) En outre, ils sont largement ravitaillés par les pays neutres limitrophes, les pays scandinaves surtout : l'exportation en Allemagne des produits de l'agriculture et de l'élevage danois, qui était de 123 000 tonnes en 1913, va, en 1915, passer à 274 000 tonnes.

Ces mêmes pays n'hésitent pas à importer des produits destinés, non à être consommés par eux, mais à être revendus aux Empires centraux. D'où l'extension donnée, dès 1914, par la Grande-Bretagne et par la France, à la notion de contrebande de guerre. Cette extension, on l'a dit plus haut, n'était guère conforme aux conventions internationales et elle suscita les protestations des neutres, celles surtout des États-Unis. Toutefois, quand, en février 1915, le gouvernement de Berlin déclara zone de guerre les eaux des Iles britanniques et menaça de faire couler par ses sous-marins les navires de commerce rencontrés dans les mêmes eaux, ce fut contre l'Allemagne que se tourna la mauvaise humeur américaine.

Mauvaise humeur muée en colère quand, le 7 mai, fut torpillé, sans avertissement préalable, le paquebot anglais *Lusitania* transportant 1 200 personnes dont 118 passagers américains. On put croire un moment que les relations diplomatiques allaient être rompues entre Washington et Berlin. Mais le président Wilson, non seulement était profondément pacifiste, mais encore tenait à ménager les citoyens américains d'origine germanique, fraction non négligeable du corps électoral ; il se contenta de faire remettre une note très roide à l'ambassade d'Allemagne.

Pourtant, lorsqu'en août la preuve est fournie par le journal *World* que cette ambassade cherche à provoquer des grèves dans les usines américaines travaillant pour l'Entente, Wilson se fâche. Il ne s'apaise que lorsque le gouvernement allemand promet que les navires à passagers ne seront plus coulés « sans avertissement préalable et sans que soient protégées les vies des non-combattants ». Promesse qui sera tenue pendant dix-huit mois et reculade qui ne va pas sans impressionner les neutres.

A partir du milieu de 1915, le blocus commence à faire sentir ses effets sur les Empire centraux, moins certes que ne prétendent les journaux français, mais de manière déjà appréciable.

La France, elle, jouit d'une parfaite liberté de ses communications maritimes et peut librement importer. Heureusement, car le marasme de sa production agricole et industrielle reste profond : elle ne récoltera en 1915 que 79 millions d'hectolitres de froment contre 113 millions en 1914 et 94 millions de quintaux de pommes de terre contre 135 millions ; elle n'extraira que 19 millions et demi de tonnes de houille contre 41 millions et ne fabriquera que 580 000 tonnes de fonte contre plus de 5 millions.

Force lui est donc d'acheter à l'étranger ce qui lui manque. Pour l'année 1915, ses importations se chiffreront par près de 13 milliards de francs-or tandis que ses exportations n'atteindront pas 6 milliards. Un accord financier passé avec la Grande-Bretagne comme aussi les crédits consentis par la banque Morgan de New York permettront de faire face à ce déséquilibre. Sur les marchés internationaux le franc ne connaîtra pas une dépréciation supérieure à 12 pour 100.

Une partie des achats faits à l'étranger doit pourtant être réglée en or et le gouvernement se préoccupe de protéger l'encaisse de la Banque de France. En juillet l'exportation du métal précieux par les particuliers a été interdite. En même temps un appel a été adressé aux citoyens, les invitant à échanger leur or contre des billets. Appel entendu : deux milliards et demi d'or entrent dans les caves de la Banque.

A l'intérieur, l'État ne peut plus que faiblement compter sur les perceptions d'impôts pour faire face à ses dépenses et, à la fin de l'exercice, le déficit budgétaire se chiffrera par 18 milliards (contre un excédent de 113 millions en 1913). Les ressources sont fournies par les émissions de Bons de la Défense nationale et par des avances de la Banque de France. Bien que le mot d'inflation ne soit pas encore prononcé, la chose existe déjà en fait. Mais quelques mesures de taxation et surtout la confiance encore générale dans une victoire prochaine empêchent qu'elle ait une incidence correspondante sur le prix de la vie : la hausse ne dépasse pas 15 à 20 pour 100. Le public n'en proteste pas moins contre la « vie chère ».

Il n'est guère question de rendre des bras à l'agriculture et, sauf les plus âgés, les paysans mobilisés le resteront jusqu'au bout, les femmes les remplaçant aux champs dans toute la mesure du possible. En revanche on renvoie maintenant assez largement vers les mines et vers les usines de guerre les ouvriers spécialistes appartenant aux vieilles classes. De ce fait le monde ouvrier, disloqué par la mobilisation, se reconstitue en partie.

Reconstitution qui se traduit par un renouveau de l'action syndicaliste. Millerand a eu beau déclarer, le 13 jan-

vier 1915 : « Il n'y a plus de droits ouvriers, plus de lois
sociales, il n'y a plus que la guerre », les syndicats ne
s'en efforcent pas moins de regrouper leurs adhérents et
ils s'appuient sur l'augmentation du prix des denrées pour
réclamer des relèvements de salaires. L'utilisation croissante des femmes dans les industries de guerre fournit
aussi matière à revendications touchant l'hygiène et la
sécurité. Le spectacle de l'enrichissement rapide de quelques
industriels improvisés ajoute au malaise. Alors qu'entre
la mobilisation et la fin de 1914 aucune grève n'a été
déclarée, on en voit 98 au cours de 1915 (ce qui est évidemment encore fort peu en regard des 1 073 grèves de
1913).

Soit par patriotisme, soit par prudence, les secrétaires
syndicaux ont, au début, tous adhéré à l'Union sacrée et
on a même vu l'ancien libertaire Léon Jouhaux, secrétaire
général de la C. G. T. depuis 1909, porter un *toast* à la fin
d'un banquet patronal.

Néanmoins, à partir du printemps 1915, sous l'impulsion
d'Alphonse Merrheim, secrétaire de la Fédération des
Métaux, une minorité s'est constituée au sein du comité
confédéral de la centrale syndicale : elle réclame une reprise
énergique de la lutte antipatronale et aussi — mais plus
en sourdine — une action en faveur de la cessation des
hostilités.

Merrheim est en contact étroit avec un extrémiste russe,
Léon Trotsky, qui s'est installé en France comme journaliste à la fin de l'année précédente. D'accord avec lui,
il accepte de se rendre, en septembre, à la conférence internationale que des révolutionnaires neutres ont convoquée
à Zimmerwald, près de Berne. Les *leaders* socialistes relevant des puissances belligérantes ont énergiquement refusé
leur participation, mais le bouillant militant syndicaliste
Bourderon consent à accompagner Merrheim.

L'animateur de la conférence est Lénine, qui d'ailleurs
semble moins se soucier de la fin de la guerre que de son utilisation au profit du communisme. Merrheim et Bourderon
n'acceptent pas d'adhérer à la fondation d'une Internationale communiste mais ils signent, conjointement avec les
révolutionnaires allemands Adolf Hoffmann et Ledebour,
une résolution proclamant que « cette guerre n'est pas
notre guerre ».

A leur retour les deux Français doivent bien constater que cette résolution n'a suscité nul écho dans le monde ouvrier. « Même, soupirera Merrheim, si j'avais été arrêté en revenant de Zimmerwald et fusillé, la masse ne se serait pas levée ; elle était trop écrasée sous le poids des mensonges de toute la presse et des préoccupations générales de la guerre. »

Il omettra de mentionner l'ombrageux patriotisme dont est, à cette date, animée la quasi-totalité de la nation française.

*
* *

Les échecs auxquels ont abouti les tentatives de « percée » faites pendant le premier semestre de 1915 n'ont pas découragé le G. Q. G. français.

Voyant s'améliorer la situation du matériel et des munitions, enhardi par l'arrivée sur le front de six nouvelles divisions britanniques, convaincu enfin que l'intérêt comme l'honneur de la France obligeaient celle-ci à soutenir son alliée russe en proie à de graves difficultés, Joffre, dès le mois de juillet, a décidé de monter une opération offensive plus ample que les précédentes. Au cours d'une réunion tenue à Chantilly il a rallié à ses vues le commandement anglais.

L'affaire, fut-il résolu, serait derechef menée d'une part en Champagne, de l'autre en Artois. Si en effet on parvenait à enfoncer l'ennemi dans ces deux régions, on couperait ses lignes de rocade et on diviserait ses forces en plusieurs tronçons qui pourraient être ensuite successivement enveloppés. Après quelques hésitations, on décida que l'offensive principale serait menée en Champagne par le groupe des armées du centre sous les ordres de Castelnau, le groupe des armées du nord, commandé par Foch, l'armée britannique devant se borner à une offensive d'appui en Artois.

La statégie fixée, restait à déterminer la tactique : instruit par l'expérience. Foch eût souhaité que l'on procédât par bonds successifs en profondeur, une position ennemie n'étant attaquée qu'après que la précédente aurait été fortement occupée. Joffre, appuyé par Castelnau, fit prévaloir une méthode contraire : l'offensive devrait être brusquée et

toutes les lignes allemandes seraient emportées d'un seul
élan.

Après une préparation d'artillerie de plusieurs jours,
l'assaut est donné le 25 septembre et la bataille se poursuit
jusqu'au 29. En Champagne la première position allemande
est conquise, on fait 20 000 prisonniers et déjà la cavalerie entre en action. Est-ce la trouée ? Non ; grâce aux
quatre corps d'armée que Falkenhayn a fait revenir de
l'Est, l'ennemi tient solidement sur la deuxième position
et il faut s'arrêter. En Artois les Franco-Britanniques progressent jusqu'au voisinage de la crête de Vimy sans parvenir à l'enlever. La double offensive, suspendue pendant
une semaine, reprend ensuite sans apporter aucun résultat.
Le 14 octobre, Joffre donne l'ordre de mettre fin aux opérations. Elles ont coûté aux seuls Français environ 135 000
tués ou disparus et 290 000 blessés graves ; les pertes allemandes ont été relativement faibles.

L'effondrement de l'espoir mis dans cette nouvelle tentative de rupture du front ennemi suscite, dans les milieux
politiques parisiens, un mécontentement frisant la colère.
Il s'ajoute à l'émotion provoquée par la récente entrée en
ligne de la Bulgarie aux côtés des Empires centraux et par
l'offensive victorieuse qu'une armée germano-austro-bul-
gare mène maintenant contre les Serbes. A la Chambre
et au Sénat le cabinet Viviani se voit rudement malmené.

Lâchant du lest, il décide, malgré les expresses réserves
de Joffre, de se rallier à la pensée de Briand et de faire un
effort militaire du côté des Balkans. A la fin de septembre
une fraction du corps expéditionnaire français est rappelée
de la presqu'île de Gallipoli (qui ne sera totalement évacuée
qu'en janvier suivant) pour être dirigée sur Salonique ; elle
y est rejointe par deux divisions prises au front de l'Ouest
et par un contingent anglais : au total 65 000 Français et
15 000 Britanniques sous le commandement du général
Sarrail, adversaire personnel de Joffre et cher aux hommes
de gauche. Le gouvernement d'Athènes, que dirige le subtil
Crétois Venizelos, n'oppose d'abord qu'une protestation
de pure forme à cette atteinte à la neutralité hellénique.

La petite armée Sarrail s'engage en direction du nord en
suivant la vallée de la Tcherna. Son intention est de donner
la main aux Serbes qui, malgré leur courage, doivent reculer devant un adversaire très supérieur en nombre. Vaine

tentative ; pour échapper à un encerclement, l'armée serbe, conduite par le vieux roi Pierre Ier, par le prince héritier Alexandre et par le voïevode Putnik, doit se jeter dans les montagnes d'Albanie ; au milieu de décembre, terriblement éprouvée, il lui faudra s'embarquer, sur les rives de l'Adriatique, à bord de navires français et italiens qui bravant la flotte austro-hongroise la transporteront à Corfou où elle se reconstituera avant de rejoindre Salonique où les troupes de Sarrail se seront déjà repliées. La réussite de cette complexe opération de sauvetage sera tout à l'honneur du commandement naval français.

A ce moment, le cabinet Viviani n'existera plus : usé par des déboires successifs, en proie à des attaques de plus en plus mordantes et à de continuels dissentiments intérieurs, il s'est disloqué sans avoir été formellement renversé et son chef a porté sa démission à l'Élysée. Poincaré a alors appelé Briand, qui s'y préparait depuis longtemps, à la présidence du Conseil, et le 26 octobre le nouveau gouvernement a été constitué.

Briand y assume le portefeuille des Affaires étrangères à la place de Delcassé éliminé. Viviani se voit relégué à la Justice. Malvy, Ribot, Doumergue et Sembat restent respectivement à l'Intérieur, aux Finances, aux Colonies et aux Travaux publics. Un mathématicien profond et distrait, le député Paul Painlevé, va à l'Instruction publique. L'actif et intelligent contre-amiral Lacaze, qui, avant la guerre, fut rue Royale le chef de cabinet de Delcassé, remplace Augagneur à la Marine. Le vieux Méline, qu'on n'a pas vu au gouvernement depuis 1898, retrouve, après dix-sept ans, le portefeuille de l'Agriculture. Cinq autres vétérans de la politique, Freycinet, Combes, Léon Bourgeois, Jules Guesde et le droitier Denys Cochin, sont ministres d'État.

La nomination la plus remarquée est celle du général Gallieni qui succède à Millerand comme ministre de la Guerre. Le gouverneur de Paris jouit d'un grand prestige, au moins dans la capitale ; on le sait en mauvais termes avec le G. Q. G. et on espère que, sous son impulsion, la guerre prendra une allure nouvelle. Mais il est âgé de soixante-six ans, souffre de la prostate, est usé par les insomnies et, bien que toujours empli d'une belle énergie, tend à devenir nerveux. La politique n'est point son fait et, au bout de cinq mois à peine, ce grand soldat, à bout de résistance physique, se démettra.

Un remaniement partiel de la haute administration accompagne le changement ministériel ; c'est ainsi qu'un poste de secrétaire général du ministère des Affaires étrangères est créé pour Jules Cambon ; Philippe Berthelot devient en même temps chef du cabinet diplomatique de Briand ; comme tel, il ne tardera pas à exercer au Quai d'Orsay une influence prépondérante.

Joffre a accueilli sans plaisir la formation du nouveau ministère ; mais, sous sa lourde apparence, il est diplomate et ne laisse rien paraître de son irritation. De son côté, le souple Briand ne se soucie pas de rompre avec le vainqueur de la Marne. Il a été un instant question de placer le G. Q. G., même pour les opérations militaires, sous l'autorité du ministère de la Guerre ; on y renonce vite. Tout finit curieusement par une extension des pouvoirs de Joffre qui, en sus de son commandement des armées françaises du front ouest, reçoit autorité sur l'armée de Salonique. Seulement — un peu pour le surveiller — on lui donne un *ad latus* dans la personne du général de Castelnau.

Aussi discuté, mais moins adroit et moins auréolé de prestige que le général français, le commandant en chef anglais, Sir John French, ne peut éviter la disgrâce. Au milieu de décembre, il est relevé de ses fonctions et remplacé, à la tête du corps expéditionnaire britannique maintenant fort de 35 divisions, par le général Sir Douglas Haig. Cet Écossais de haute taille et de fière allure se montrera aussi loyal mais moins ombrageux que son prédécesseur, et, tout en défendant jalousement ses prérogatives, il entretiendra avec le G. Q. G. français des rapports le plus souvent cordiaux.

Presque en même temps, le commandant en chef des armées russes, grand-duc Nicolas, se voit, lui aussi, frappé. C'est le tsar Nicolas II qui assume personnellement sa succession avec le général Alexeïev pour chef d'État-major. Le grand-duc possédait énergie et compétence tandis que ces deux qualités font défaut au tsar. De plus, l'isolement de ce dernier au milieu de son G. Q. G. va permettre aux intrigues dont Pétersbourg est le théâtre de fermenter plus que jamais.

Tandis qu'à Paris les milieux politiques s'absorbent

dans les combinaisons de personnes, les combattants — d'ailleurs mieux vêtus, armés et protégés, qu'au début de l'année — montent au front, sous la pluie, sous la neige et dans la boue, une garde vigilante, ponctuée de coups de main et d'opérations de « grignotage » sanglantes et généralement stériles. Celles, sans cesse reprises, menées sur les côtes de la Meuse pour la possession de la crête des Éparges et, dans les Vosges, pour la conquête de l'Hartmannsweilerkopf, laisseront un souvenir particulièrement funèbre.

A l'arrière immédiat, les unités au repos sont soumises à un entraînement rigoureux. Des « permissions de détente » périodiques ont, dès le mois de juin, commencé à être accordées. Mais le tour en est très lent à venir. Dans les hôpitaux, des dizaines de milliers de blessés souffrent : les uns vont mourir ; d'autres seront reconnus définitivement invalides ; la majorité, après un court congé de convalescence, sera réexpédiée vers la ligne de feu. Dans les dépôts, la classe 1916 est en voie d'instruction (cette classe a été appelée en avril 1915 ; la classe 1915 l'avait été en décembre 1914 ; en revanche on a démobilisé en 1915 une partie des classes 1887 et 1888), on récupère pour le service armé les auxiliaires en état de porter un fusil et la chasse aux « embusqués » s'organise.

Rares sont les plaintes. Le moral de l'armée reste très élevé, plus peut-être que celui des civils, et la propagande en faveur d'une paix blanche, qui çà et là se dessine, n'a aucune prise sur les « poilus ».

Cette propagande n'est encore en France que le fait d'une poignée de syndicalistes avancés. Plus active en Russie, elle y est menée d'un côté par quelques cercles voisins de la cour — mais le tsar reste personnellement inébranlable — de l'autre par plusieurs milieux révolutionnaires ; toutefois Lénine, qui de Suisse réussit à garder l'attache de ces milieux, ne se cache point de préférer à une paix rapide une défaite de l'autocratie. En Angleterre, seul le petit groupe travailliste dirigé par Ramsay Mac Donald se proclame ouvertement pacifiste. En Italie, une forte minorité regrette l'intervention et réclame une paix rapide. En revanche, le peuple belge témoigne tout entier, sous la botte ennemie, d'une admirable fermeté.

Dans le camp opposé, les Allemands sont encore trop certains d'emporter la victoire pour ne pas souhaiter

presque unanimement qu'elle soit complète. Les Austro-
Hongrois, eux, commencent à s'apercevoir du caractère
désastreux de l'aventure dans laquelle ils se sont engagés,
mais ils ont trop besoin du concours de l'Allemagne pour
songer encore à s'en désolidariser. En Turquie enfin, la
dictature du « Comité Union et Progrès » interdit rigoureusement toute manifestation d'un sentiment public.

Quant aux neutres, ils ont, pour le moment, renoncé à
toute velléité de bons offices. La Suisse, la Hollande et
les États scandinaves se contentent d'abriter impartiale-
ment les officines de renseignements installées par les belligérants. L'Espagne ne bouge pas. Le président américain
Woodrow Wilson a rappelé d'Europe, en mars 1915, son
confident, le colonel House, qu'il y avait envoyé pour
étudier la possibilité d'une médiation. Le pape Benoît XV
n'estime pas l'heure venue de proposer la sienne. Devant
la violence de l'incendie, les pompiers se sentent désarmés.

Quand se termine l'année, nul ne peut plus douter que
la guerre ne doive encore durer longtemps.

Sur le front ouest, les forces françaises, au cours de cette
lugubre année 1915, ont subi d'atroces saignées — environ
375 000 tués ou disparus et 960 000 blessés graves — sans
parvenir à rompre les lignes ennemies, mais elles n'ont pas
reculé et les vides faits dans leurs rangs se voient comblés
par les hommes des jeunes classes, par les contingents que
nos dépendances d'outre-mer commencent à nous fournir
généreusement et aussi par l'afflux des nouvelles levées
britanniques. Sur le front italien, les attaques menées en
direction de Trieste n'ont abouti qu'à des gains peu importants, mais elles ont immobilisé une vingtaine de divisions
austro-hongroises. Sur le front est, les armées russes ont
éprouvé de graves revers, mais elles n'ont point été anéan-
ties et disposent d'une immense réserve humaine ainsi
que d'un champ indéfini de repli. La tentative faite aux
Dardanelles pour « dégeler » la guerre et permettre une stratégie de grand style a lamentablement échoué et il ne
semble pas, pour le moment, que l'opération de Salonique
doive avoir un meilleur sort. Le renfort reçu par l'Entente
quand l'Italie est entrée dans son camp s'est trouvé balancé
par le ralliement de la Bulgarie aux Empires centraux et
par la mise hors de cause de la Serbie. Enfin, si la « carte
de guerre » est nettement favorable à l'Allemagne et à

l'Autriche-Hongrie, le blocus maritime auquel elles sont soumises commence, bien que lentement, à produire ses effets.

Tant de jeune sang répandu n'a suffi à faire fléchir d'appréciable manière ni l'un ni l'autre des plateaux de la balance.

CHAPITRE V

L'ANNÉE DE VERDUN

LES FRANÇAIS, TENDUS VERS LA VICTOIRE, LA VOUDRAIENT RAPIDE. ‖ L'ARTILLERIE ET LES EFFECTIFS. ‖ PROJET D'OFFENSIVES CONJUGUÉES SUR LES DIFFÉRENTS FRONTS. TENSION ENTRE LE G.Q.G. ET LE PARLEMENT. ‖ LES ALLEMANDS PRENNENT L'INITIATIVE EN ATTAQUANT VERDUN. LE HAUT COMMANDEMENT ALLEMAND VEUT « USER » L'ARMÉE FRANÇAISE. ‖ PÉTAIN CHARGÉ DU SECTEUR DE VERDUN. CARACTÈRE ATROCE DE LA LUTTE. ELLE N'AMÈNE PAS JOFFRE A RENONCER A L'OFFENSIVE FRANCO-BRITANNIQUE PRÉVUE SUR LA SOMME. ‖ DÉMISSION ET MORT DE GALLIENI. ‖ CONFÉRENCE PACIFISTE DE KIENTHAL. ‖ INQUIÉTUDES ALLEMANDES. ‖ VICTOIRES RUSSES SUR LES AUSTRO-HONGROIS. ‖ BATAILLE DE LA SOMME. SON CARACTÈRE, SES PHASES. SANS EMPORTER LA DÉCISION, ELLE SOULAGE VERDUN ET AFFAIBLIT L'ENNEMI. ‖ ARRÊT DES OFFENSIVES RUSSE ET ITALIENNE. ‖ LA ROUMANIE EN GUERRE DANS LE CAMP DE L'ENTENTE. APRÈS DES SUCCÈS INITIAUX, SON ARMÉE EST BATTUE. ‖ ACTION BRITANNIQUE DANS LE PROCHE-ORIENT. ACCORD SYKES-PICOT. ‖ LE PORTUGAL ENTRE DANS LE CAMP ALLIÉ. ‖ VERDUN DÉFINITIVEMENT DÉGAGÉ. ‖ LE FAIBLE RÉSULTAT APPARENT DES OFFENSIVES PROVOQUE DANS TOUS LES PAYS BELLIGÉRANTS UNE IRRITATION. ‖ HINDENBURG A LA TÊTE DES ARMÉES ALLEMANDES. ‖ LLOYD GEORGE PREMIER MINISTRE DE GRANDE-BRETAGNE. ‖ LES CHAMBRES FRANÇAISES REVENDIQUENT UN DROIT DE CONTROLE. ‖ LES COMITÉS SECRETS. ‖ BRIAND SE RÉSOUT A ÉCARTER JOFFRE. IL REMANIE SON GOUVERNEMENT. LYAUTEY MINISTRE DE LA GUERRE. NIVELLE COMMANDANT EN CHEF. ‖ JOFFRE, ÉCARTÉ, EST PROMU MARÉCHAL. JUGEMENT SUR JOFFRE. ‖ LASSITUDE NAISSANTE DES PEUPLES. ‖ MOUVEMENTS DIVERS. ‖ L'IMPRÉCISE OFFRE DE PAIX GERMANO-AUTRICHIENNE. ‖ LES FERMENTS APPARUS EN 1916 VONT SE DÉVELOPPER EN 1917.

Q UELQUES JOURS avant la fin de l'année, Gallieni, soutenant devant le Sénat le projet de loi qui autorisait l'appel anticipé de la classe 1917, s'est écrié: «...La France, il y a dix-huit mois, voulait la paix pour elle et pour les autres. Aujourd'hui elle veut la guerre... La grande lutte ne se terminera que lorsque la France d'accord avec ses alliés, dira : J'ai obtenu pleine satisfaction. Je m'arrête et je reprends mon œuvre de paix ! »

Tous les sénateurs se sont levés et, dominant le bruit des applaudissements, on a entendu la voix de Clemenceau rugissant : « Jusqu'au bout ! »

Assurément, la plupart des acclamants ont passé l'âge de porter les armes. Mais beaucoup ont des fils au front, et leur volonté belliqueuse est certainement partagée par la grande majorité de la nation, combattants compris. Ni les déboires éprouvés ni les pertes subies n'ont altéré la volonté de vaincre : plutôt l'auraient-ils renforcée ; il paraîtrait trop horrible que tant de sacrifices aient été consentis en vain.

Seulement, si les Français sont prêts à payer sans marchander le prix de la victoire, ils entendent que rien ne soit négligé pour la procurer rapide. Ce que nombre d'entre eux reprochent au Haut Commandement, ce n'est point d'avoir fait verser les flots de sang — à être prodigué, le sang a perdu quelque chose de son prix —, c'est de n'avoir pas emporté de victoires décisives.

Très fin sous son écorce paysanne, Joffre distingue parfaitement ce que le pays et ses représentants attendent de lui : une issue heureuse en 1916, dût-elle être chèrement achetée. Il va s'efforcer de réunir les plus fortes chances de succès.

Instruit par l'expérience, il connaît la vanité de l'« offensive à outrance », telle au moins qu'on a voulu la pratiquer au début des hostilités ; il connaît celle aussi des essais de « percée d'un seul élan », tels qu'ils ont été tentés sur des fronts étroits en 1915. On le voit désormais persuadé que rien se saurait être entrepris d'utile qu'à l'aide de masses humaines nombreuses, engagées sur de larges fronts et appuyées par une artillerie extrêmement puissante.

Cette artillerie, le commandant en chef pense la posséder. Les usines de guerre travaillent maintenant à plein rendement, les importations de matériel américain s'accélèrent. Depuis un an le nombre des canons lourds est passé de 740 à plus de 2 000, la fabrication des obus, de 4 000 à 116 000 par jour. Déjà on prépare la constitution de 180 batteries nouvelles, dont une vingtaine composées de pièces de fort calibre. On peut ajouter que l'aviation, à peine existante au début de la guerre, s'est beaucoup développée et que le réglage par avion des tirs à longue portée a été mis au point.

Le problème des effectifs peut paraître plus inquiétant. En dépit des « ratissages » opérés à l'intérieur, en dépit de l'appel anticipé des classes 1916 et 1917, l'armée française a de la peine à combler ses vides, et on est obligé de ramener de quatre à trois par division le nombre des régiments d'infanterie. Heureusement, l'entrée en campagne de nouvelles divisions britanniques se poursuit sur un rythme accéléré : il y en avait 35 à l'automne de 1915, on peut en prévoir 70 pour le printemps de 1916. Quant à l'armée russe, malgré les terribles saignées qu'elle a subies, ses réserves humaines paraissent inépuisables : dès novembre 1915, elle compte le même effectif qu'avant les grandes batailles ; en mars 1916 elle se sera accrue d'un million d'hommes. L'Italie enfin est en mesure d'engager quelque 45 divisions.

Cette situation a conduit Joffre à envisager des offensives menées simultanément « avec le maximum de moyens » sur le front occidental, le front italien et le front russe. Les 6, 7 et 8 décembre 1915, il a présidé à Chantilly une conférence réunissant les représentants des différents commandements alliés. Le principe des offensives simultanées y a été accepté, mais, les Russes et les Italiens manquant encore de matériel, il a été décidé de ne déclencher ces offensives qu'au début de l'été. Il a toutefois été convenu que, si l'ennemi attaquait auparavant l'une des armées alliées, les autres s'efforceraient de la soulager.

Joffre a aussi étudié la possibilité d'un gros effort à partir de Salonique. Mais Kitchener, le ministre anglais de la Guerre, y est catégoriquement opposé et c'est à grand-peine qu'on a obtenu qu'il ne rappelle pas le contingent anglais de l'armée Sarrail.

En attendant que l'ensemble des opérations puisse commencer, le commandant en chef français arrête, de concert avec le général Haig, la part qu'y prendront sur le front ouest, les armées franco-britanniques. Le champ de bataille choisi s'étale de part et d'autre de la Somme ; il est large de 70 kilomètres, 40 kilomètres étant réservés aux Français et 30 aux Britanniques. Le général Foch coordonnera l'action des trois armées françaises qui seront engagées et qu'appuieront 1 700 pièces d'artillerie lourde. Foch a fait quelques réserves au sujet du terrain qui lui semble trop cloisonné, mais il s'est incliné devant la volonté de Joffre.

Pour occuper la longue veillée d'armes, le commandement s'est laissé aller à prescrire de nouvelles opérations de « grignotage ». Les pertes qu'elles ont inutilement causées ont été devinées par le Parlement, et les rapports entre celui-ci et le G. Q. G. se sont derechef tendus. Tension analogue entre le G. Q. G. et le ministre de la Guerre : le 16 décembre Gallieni, informé par des rapports directs, a adressé à Joffre une lettre lui signalant les lacunes de l'organisation défensive sur différents points du front, spécialement dans la région de Verdun.

« J'estime, a répondu le commandant en chef, que rien ne justifie les craintes que vous exprimez... J'ai besoin de la confiance entière du gouvernement. S'il me l'accorde, il ne peut ni encourager ni tolérer des pratiques qui diminuent l'autorité morale indispensable à l'exercice de mon commandement, et faute de laquelle je ne pourrais continuer à en assumer la responsabilité. »

Cette menace de démission n'a pas eu de suite.

***

Les craintes du ministre étaient justifiées. L'ennemi va lancer en direction de Verdun un gigantesque assaut que l'insuffisance du réseau défensif rendra d'abord victorieux.

Cet assaut a été décidé par le Haut Commandement allemand à la fin de décembre. Il répond à une pensée de Falkenhayn, chef du Grand État-major impérial, qui peut être ainsi résumée :

Inutile de reprendre à l'est de vastes offensives ; sans doute les Russes seraient-ils encore battus, mais les possibilités indéfinies de recul dont ils disposent empêcheraient toute décision. D'ailleurs le principal adversaire de l'Allemagne, c'est l'Angleterre, cette Angleterre inspiratrice d'un blocus dont les effets risquent à la longue de devenir mortels. Toutefois, pour atteindre l'Angleterre, il faut d'abord abattre la France, son « instrument » sur le continent.

Il est peu probable que le front français puisse être rompu. Mais il comporte un saillant médiocrement fortifié, celui de Verdun, qu'il est possible d'attaquer à la fois par trois côtés et qu'un chemin de fer de faible débit relie seul à l'arrière. Comme Verdun présente aux yeux des Français une grande importance morale, il est vraisemblable qu'ils voudront le défendre à tout prix en engageant un maximum de forces. La supériorité de l'artillerie allemande fera que ces forces seront écrasées et que la France, n'ayant plus de réserves, se verra contrainte de solliciter la paix, obligeant du même coup l'Angleterre à capituler.

Conception plus romantique, sinon apocalyptique, que stratégique, mais qui est bien alors, les documents le démontrent, celle du Grand État-major allemand. Elle a été formellement approuvée par Guillaume II en sa qualité de chef suprême de guerre.

Le commandement nominal de l'armée attaquante a été confié au fils aîné de celui-ci, le *Kronprinz* Guillaume. Le succès, espère-t-on, conférera à la dynastie un lustre impérissable.

Au milieu de février, les troupes allemandes arrivent à pied d'œuvre et le général Herr, qui commande la région de Verdun, signale de très importants mouvements. Mais le G. Q. G., trompé par plusieurs petites opérations de diversion qu'a esquissées l'adversaire, ne veut pas croire à la réalité du péril. Ce n'est que le 20 février qu'il se résout à acheminer vers Bar-le-Duc le 20e corps d'armée.

Le 21, l'attaque déferle du côté nord, précédée d'un feu roulant d'artillerie d'une intensité jamais connue jusqu'alors. Aux six divisions allemandes engagées, deux divisions françaises seulement sont opposées. L'ennemi progresse de 7 kilomètres par bonds successifs et, le 25, il s'empare du fort de Douaumont, considéré comme la pierre angulaire de la défense de Verdun.

Herr paraît tout à fait débordé et déjà Langle de Cary, commandant du groupe des armées du centre, songe à ordonner un repli sur la rive gauche de la Meuse. Mais Castelnau, envoyé sur place par Joffre avec pleins pouvoirs, résiste à l'affolement général et exige qu'on tienne, coûte que coûte, sur la rive droite. Le lendemain 26, le général Philippe Pétain, chef de la IIe armée, est appelé au commandement du secteur de Verdun.

Pétain, alors âgé de cinquante-neuf ans, est un fantassin que la mobilisation a trouvé simple colonel. Imposant, le visage marmoréen, froid, méthodique, précis, une lueur d'ironie traversant souvent ses yeux d'un bleu de faïence, dissimulant quelque timidité sous de la causticité, humain en même temps et sachant toucher le cœur du soldat, il s'est vite distingué ; dès 1915, il a été placé à la tête d'abord du 33e corps, puis de la IIe armée. A peine est-il depuis

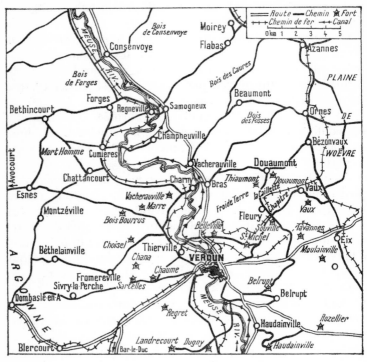

BATAILLE DE LA SOMME, 1916.

deux jours sous Verdun que sa tranquille énergie a galvanisé la résistance. Un de ses premiers soins a été de dégager la route réunissant, par Souilly, Bar-le-Duc à Verdun et de la réserver aux camions porteurs de renforts. Ce sera la « Voie Sacrée ».

Arrivé par le nord-est au voisinage immédiat de la place, le *Kronprinz* lance pendant trois semaines, toujours sous le couvert d'un ouragan d'obus, de nouvelles vagues d'assaut, d'abord au nord-ouest entre Cumières et Avocourt, puis à l'ouest aux confins de l'Argonne.

Le terrifiant bombardement bouleverse les tranchées, anéantit les abris, fouille le sol dans ses profondeurs, rompt les liaisons, rend presque impossible tout exercice raisonné du commandement. Isolés par petits groupes, fauchés par les éclats d'obus, étourdis par le fracas des détonations, aveuglés par la fumée, suffoqués par les gaz toxiques, brûlés par le jet des lance-flammes, les fantassins français résistent pourtant, s'accrochent au terrain emprisonné, se terrent dans la moindre excavation, se calent, fusil ou mitrailleuse en main, dans le plus petit entonnoir. Ils en sortent parfois, sous la conduite d'un commandant de compagnie, voire d'un simple chef de section, pour se jeter dans une furieuse contre-attaque. Jamais le sang-froid des cadres subalternes, jamais l'abnégation des soldats ne furent soumis à pareille épreuve, jamais non plus ne furent accomplis semblables prodiges de courage et de ténacité. Notre artillerie légère, souvent coupée de ses trains de munitions, privée d'observatoires, tire sur l'assaillant au jugé, quelquefois à vue, et elle éprouve, elle aussi, de terribles pertes. Plus en arrière, l'artillerie lourde, que l'aviation commence à guider avec quelque efficacité, travaille à détruire les batteries ennemies. Dans le ciel les avions français du type *Nieuport* livrent aux *Fokker* allemands d'héroïques combats individuels.

A son poste de commandement, Pétain, dont le calme olympien se communique à ses subordonnés, s'efforce de distinguer les grandes lignes de la bataille et d'aveugler rapidement les brèches qui se dessinent. En même temps il surveille de très près la *noria* qui s'organise sur la route de Bar-le-Duc et qui va permettre la relève des unités épuisées par des troupes fraîches.

A la fin de mars les Allemands n'ont nulle part avancé de plus de 8 kilomètres et, dans les lignes françaises, une conviction s'ancre : « Ils ne passeront pas ! » Néanmoins Falkenhayn s'estime satisfait. Il pense que son plan est en bonne voie d'exécution et que toutes les divisions françaises vont être successivement engagées dans la bataille pour s'y voir, les unes après les autres, mises hors de combat.

Il a compté sans cette absence de nerfs qui est si remarquable chez Joffre. Résistant aux demandes pressantes de Pétain, le généralissime limite à l'indispensable les renforts qu'il envoie. Sans doute la plupart des divisions françaises se verront-elles engagées sous Verdun, mais à tour de rôle seulement, et quand une division aura été relevée ce ne sera, le plus souvent, pas pour rester à la disposition du commandement local, mais pour être remise à celle du G. Q. G. Joffre en effet refuse de se laisser hypnotiser par la dramatique bataille et n'entend nullement renoncer, à cause d'elle, à la grande offensive franco-britannique dont il a, d'accord avec Haig, fixé la date au 1er juillet. C'est de cette offensive qu'il attend, outre un très important succès stratégique, le dégagement de Verdun.

L'obstination du commandement en chef, jointe aux qualités organisatrices de Pétain, à l'héroïsme des fantassins français et au généreux concours de nos alliés, finira par déjouer le plan allemand.

* * *

Depuis le début de la bataille de Verdun, la France entière vit dans l'angoisse. Dans les sphères politiques un sentiment d'irritation s'y ajoute : on a appris, par des officiers venus du front, la faiblesse initiale de l'organisation défensive de Verdun et on taxe — non sans quelque raison — le Haut Commandement d'imprévoyance.

Le 7 mars, Gallieni, qui n'avait pas oublié son avertissement inutilement donné, a lu au Conseil des ministres un mémoire confidentiel dans lequel, après avoir dénoncé les empiètements successifs du G. Q. G. sur les prérogatives du gouvernement, il faisait nette allusion aux erreurs commises à Verdun. C'était indirectement suggérer le remplacement de Joffre. Mais ses collègues n'ont pas voulu assumer une telle responsabilité et il a donné sa démission en alléguant son état de santé.

Le 16 mars, le général Roques, officier méritant, bien vu à la fois de Briand et de Joffre, reçoit le portefeuille de la Guerre. Un mois après, Gallieni entrera dans une clinique de Versailles où il subira avec succès la première opération de la prostate, mais il ne survivra pas à la seconde et s'éteindra le 27 mai.

La boucherie de Verdun n'ébranle pas le moral de la nation. Plutôt y trouverait-elle des raisons supplémentaires de haïr le « Boche » et d'exiger son écrasement.

Pourtant, dans les milieux de gauche très avancés, une lassitude se dessine et un désir d'en finir. Le 24 avril se réunit à Kienthal, dans l'Oberland bernois, une conférence socialiste révolutionnaire internationale, suite de celle qui s'est tenue à Zimmerwald en septembre précédent. Mais, alors qu'à Zimmerwald la France n'était représentée que par deux syndicalistes extrémistes, elle l'est à Kienthal par plusieurs députés appartenant au parti socialiste. (Les représentants du socialisme allemand sont d'ailleurs plus nombreux.) La conférence adopte un manifeste dans lequel on lit :

« Malgré les hécatombes sur tous les fronts, pas de résultats décisifs. Pour faire seulement vaciller ces fronts, il faudrait que les gouvernements sacrifient des millions d'hommes. Ni vainqueurs ni vaincus, ou plutôt *tous vaincus*, tous épuisés ; tel sera le bilan de cette folie guerrière... »

En conclusion, c'est une paix immédiate « sans annexions ni indemnité » qui est demandée.

Le manifeste n'a en France, dans la mesure où il y est connu, que fort peu de retentissement. A leur retour les « pèlerins de Kienthal » se voient désavoués par la plupart de leurs coreligionnaires politiques, et à la Chambre Pierre Laval, député socialiste d'Aubervilliers, est à peu près seul à prendre leur défense. Pourtant une tendance s'est affirmée qui ne tardera pas à aller s'amplifiant.

En attendant, les Français n'ont d'yeux que pour le front de Verdun où la bataille fait toujours rage et où nos troupes continuent, sous des bourrasques de feu, à opposer aux assauts de l'ennemi une opiniâtre résistance.

Si opiniâtre que Falkenhayn conçoit maintenant des doutes quant à la possibilité de réaliser son dessein. Par deux fois il les avoue à Guillaume II. Mais le chef d'État-major de l'armée d'attaque, laquelle compte maintenant 20 divisions, se porte garant du succès final et on décide de continuer.

Falkenhayn a pourtant un nouveau souci : il avait compté sur l'armée austro-hongroise tout entière pour coopérer largement à la garde du front est où l'on craint une contre-offensive russe. Mais Conrad de Hoetzendorff, commandant en chef de cette armée, décide de disposer de ses meilleures unités contre les Italiens. Le 15 mai il lance une forte attaque entre l'Adige et le Val Sugana. Asiago est pris et l'armée italienne abandonne 30 000 prisonniers. Au bout de dix jours néanmoins, les Austro-Hongrois, gênés par un terrain particulièrement difficile, commencent à piétiner. Puis ils s'arrêtent.

Le commandement russe met à profit cet éparpillement des forces ennemies. Aussi bien a-t-il promis à Joffre qu'il ne négligerait rien pour soulager le front français.

Le 4 juin, quatre armées russes, commandées par le général Broussilov, s'ébranlent à partir d'une ligne de 150 kilomètres allant de Tarnopol à Loutzk. Surpris, les Austro-Hongrois, dont presque toute l'artillerie lourde est employée contre les Italiens, se replient en hâte et doivent, une nouvelle fois, faire appel aux Allemands. Ceux-ci, engagés à fond devant Verdun, ne peuvent fournir que neuf divisions. A la fin de juillet les Russes auront reconquis la Bukovine avec une partie de la Galicie et fait près de 400 000 prisonniers.

Les inquiétudes suscitées par le front est ont déterminé les Allemands à redoubler d'efforts pour en finir avec la résistance de Verdun. Le 7 juin, au bout de huit jours d'encerclement, ils ont raison des derniers défenseurs du fort de Vaux ; le 23, après un bombardement d'une violence inouïe, un assaut général est lancé au nord-ouest immédiat de la place. C'est la journée la plus dure de la guerre. L'important ouvrage de Thiaumont tombe après une belle résistance. Le fort de Souville, ultime position couvrant Verdun, est menacé.

Le général Nivelle qui, à la fin d'août, a remplacé à la tête de la IIe armée le général Pétain, promu commandant du groupe des armées du centre, adresse aux troupes une proclamation :

« Les Allemands lancent sur notre front des attaques furieuses dans l'espoir d'arriver aux portes de Verdun, avant d'être attaqués eux-mêmes par les forces unies des armées alliées. Vous ne les laisserez pas passer, camarades. »

En effet, le farouche entêtement du fantassin français va empêcher qu'ils ne passent.

Le lendemain, 24 juin, les tirs franco-anglais de préparation commencent de part et d'autre de la Somme. Le commandement allemand se rend compte que, de ce côté, l'offensive alliée est imminente et, pour y parer, il commence à dégarnir le front de Verdun.

Jusqu'au 3 septembre néanmoins, il y poussera plusieurs attaques, mais d'intensité décroissante. Dès à présent, il est évident que le plan Falkenhayn a fait faillite : non seulement Verdun n'est pas pris, mais encore l'armée allemande s'est « usée » autant que la française. Falkenhayn, comptant sur la supériorité de son artillerie, avait calculé que le rapport des pertes serait en faveur des Allemands comme 2 est à 5 : en réalité, si les Français ont compté environ 190 000 morts ou disparus et 270 000 blessés graves, l'ennemi en a eu presque autant.

Pour la première fois les grands chefs allemands s'interrogent : ne finiront-ils pas par perdre la guerre ? Le temps ne travaille-t-il pas contre l'Allemagne ?

Autour de celle-ci le blocus se resserre. Sans doute le 31 mai la flotte de haute mer allemande, qui s'est décidée à sortir de ses abris, a-t-elle livré à la Grande Flotte anglaise, près des côtes du Jutland, une bataille — la plus grande bataille navale des temps modernes — qu'elle peut considérer comme victorieuse car les pertes britanniques ont été plus élevées que les siennes. Elle n'en a pas moins été contrainte de regagner ensuite ses bases et la maîtrise anglaise sur les océans demeure entière. La résolution des alliés a fait réfléchir les neutres, les neutres européens surtout qui sont entrés en relations avec le comité permanent franco-britannique de blocus institué à Londres au mois de mars. A la suite des accords de contingentement intervenus, la quantité de vivres expédiée mensuellement à l'Allemagne par les États scandinaves a diminué de 50 pour 100. L'« arme économique » frappe désormais efficacement les Empires centraux.

Falkenhayn et le grand-amiral Tirpitz insistent pour que soit reprise, sans vain souci d'humanité, la guerre sous-marine aux navires de commerce, cette guerre qui, l'année précédente, a été interrompue sous la pression américaine. Tirpitz garantit le succès. Mais Guillaume et son chancelier Bethmann-Hollweg hésitent devant une décision qui provoquerait vraisemblablement l'intervention des États-Unis. Mécontent, le grand-amiral à la barbe de Neptune donne sa démission.

***

En attendant que la guerre sous-marine à outrance soit proclamée, c'est sur le front de la Somme que le Haut Commandement allemand se voit obligé de concentrer son attention : depuis le 1er juillet, c'est-à-dire exactement depuis le jour arrêté de longue date par Joffre et par Haig, l'offensive franco-britannique déferle.

Son ampleur n'est pas celle qui avait été primitivement prévue. Si ménager qu'ait été Joffre des renforts que réclamait Pétain, force lui a été d'en envoyer beaucoup plus qu'il n'eût souhaité, et les unités récupérées ne sont pas toujours en condition de se battre de nouveau. Surtout il a fallu expédier sous Verdun un nombre sans cesse croissant de batteries lourdes.

Foch qui, en sa qualité de commandant du groupe des armées du Nord, est chargé de diriger la partie française de l'opération, avait compté sur 42 divisions et 1 700 pièces d'artillerie lourde : il n'a pu finalement disposer que de 22 divisions et de 540 canons lourds. Par suite, le front français d'attaque a dû être ramené de 40 à 12 kilomètres, tandis que par prudence les Anglais réduisaient le leur de 30 à 18 kilomètres. Au total, au lieu de 70 kilomètres, 30 kilomètres seulement.

Telle quelle, l'affaire a été montée avec un soin minutieux. Les deux commandements alliés n'ont rien voulu laisser au hasard. Cet extrait d'une instruction du général Fayolle, chef de la VIe armée française, résume la méthode arrêtée :

« Il ne s'agit plus d'une ruée à travers les lignes de l'ennemi, d'un assaut général mené à perdre haleine, mais d'un combat organisé et conduit d'objectif en objectif, toujours avec préparation d'artillerie, préparation exacte et par conséquent efficace. »

Exactement la tactique préconisée par Foch en septembre précédent, à l'occasion des offensives de Champagne et d'Artois. Le G. Q. G. avait alors préféré le bond d'« un seul élan ». Instruit par des leçons chèrement payées, il est devenu moins téméraire et plus soucieux des vies humaines.

Deux inconvénients pourtant à peu près inévitables : l'effet de surprise est impossible, et la lenteur de la progres-

sion risque de laisser à l'adversaire le temps de se reformer.
Joffre s'en rend clairement compte et, sans l'avouer, voire
en affirmant le contraire, il semble avoir renoncé à «trouer».
Ce que plutôt il cherche — tel Falkenhayn devant Verdun
— c'est l'« usure » de l'ennemi ; c'est, pour parler net, à lui
tuer beaucoup plus de monde qu'il ne nous en tuera. Loin
sont les élégantes formules de stratégie naguère enseignées
dans les écoles : la guerre a cessé d'être un art pour devenir
un scientifique jeu de massacre.

La bataille initiale préparée par six jours d'un bombardement que le réglage par avion a rendu très efficace se livre
entre Gommécourt au nord et Foucaucourt au sud. Les
troupes britanniques, composées en majeure partie d'enga-
gés volontaires encore mal aguerris, sont loin de dépasser partout la première position enne-mie et perdent 40 000 hommes ; en revanche, la VIᵉ armée française qui constitue l'aile gau-che des forces de Foch, avance de 10 kilomètres et fait 8 000 prisonniers, mais l'intervention de réserves allemandes finit, après plusieurs jours de durs combats, par briser son attaque.

Le 14 juillet, les Bri-tanniques, soutenus à leur droite par les Français, reprennent l'offensive. Mieux ap-puyés par leur artille-rie ils atteignent cette fois la deuxième posi-tion, mais une contre-offensive allemande leur fait, le 18, perdre une partie du terrain conquis.

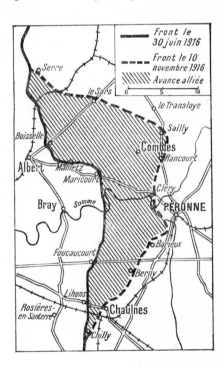

BATAILLE DE LA SOMME, 1916.

Il est désormais certain que, si le front ennemi peut être
ébranlé, il ne saurait être rompu. Néanmoins, puisqu'il

s'agit d'une lutte d'« usure », après quelques jours d'une relative accalmie, les attaques reprennent, toujours précédées d'une intense préparation d'artillerie. L'aviation — c'est la première fois qu'on l'emploie vraiment à cet usage — bombarde les nœuds de communication ennemis en même temps que ses appareils d'observation règlent, de manière très efficace, le tir des batteries lourdes. Pendant cinq semaines on se bat pied à pied autour des mêmes villages. Le 3 septembre et les jours suivants les Alliés réalisent une légère progression, et le front de combat s'étend, par l'intervention à l'aile droite de la Xe armée française. Le 15 apparaissent, en avant d'une formation d'assaut britannique, des machines d'un type jusque-là inconnu qui jettent un moment le désarroi dans la ligne allemande : ce sont des chars blindés, des *tanks*, qui ont été construits dans le plus grand secret. Ils ne suffisent pas à assurer la victoire ; jusqu'à la fin du mois les opérations se poursuivent, gênées par la pluie, le brouillard, la boue et le sol détrempé. Au début d'octobre la bataille de la Somme s'enlise : elle est pratiquement terminée.

Ses résultats tactiques peuvent être jugés médiocres : un maximum de 18 kilomètres gagnés en profondeur, le front allemand ébranlé mais nullement rompu. C'est bien peu eu égard à l'effort accompli... Joffre cependant est en droit de soutenir que le double objectif auquel il avait fini par se limiter a été atteint : Verdun a été dégagé et l'adversaire a subi une terrible saignée.

Il est vrai que le chiffre des pertes alliées a été élevé (pour les seuls Français environ 140 000 tués ou disparus et 210 000 blessés graves). Néanmoins les forces ennemies ont été plus éprouvées encore et l'« enfer de la Somme » a été pour elles ce qu'avait été pour les forces françaises l'« enfer de Verdun ».

Elles en sortent diminuées moralement aussi bien que physiquement, et le poète allemand Werner Beumelburg pourra écrire :

« Le soldat allemand de 1917 n'est plus celui de 1914. Verdun, la Somme ont marqué son âme au fer rouge. »

Cette fois, dans le jeu de massacre, nous avons gagné une manche.

* * *

Tandis que cette sanglante partie se jouait sur le front ouest, sur les autres fronts nos alliés ne sont pas restés inactifs.

En Galicie, Broussilov a tenté d'exploiter la grande victoire emportée en juin sur les Austro-Hongrois. Une de ses armées est parvenue à la frontière hongroise. Mais en août l'adversaire, grossi de renforts allemands, s'est ressaisi et les forces russes étant à court de munitions, il leur a fallu reculer. Le moral du soldat russe commence d'ailleurs à baisser. Les nouvelles de l'intérieur montrent la campagne en faveur d'une paix blanche faisant des progrès ; elles montrent aussi le gouvernement désemparé, le tsar invisible, les ministres qui se succèdent plus soucieux de complaire à Raspoutine que de fournir aux soldats les moyens de se battre... Un malaise s'étend qui commence lentement à gagner l'armée.

Sur le front du Trentin, les Italiens en ont appelé de l'échec subi en mars à Asiago. Le 6 août, ils ont lancé une offensive sur l'Isonzo, en direction de Goritz, et se sont, le 9, emparés de la ville. Le général Cadorna, commandant en chef, a un moment espéré mettre les Austro-Hongrois en déroute. Ceux-ci pourtant se sont reformés et, au bout de dix jours, la bataille s'est arrêtée. Ici comme ailleurs les succès tactiques, si importants qu'ils aient été, n'ont pas donné de résultats décisifs.

L'Entente a cependant conçu une grande espérance quand, à la fin d'août, la Roumanie est entrée dans son camp avec ses 15 divisions. C'est le 27 août que le gouvernement de Bucarest, longtemps hésitant, s'est enfin décidé à déclarer la guerre aux Empires centraux et à la Bulgarie.

Malheureusement les négociations préalables ont été trop longues, et l'offensive russe comme aussi l'offensive italienne se sont vues arrêtées avant leur conclusion. Néanmoins l'armée roumaine est entrée en Transylvanie qu'elle a partiellement occupée.

L'ennemi a réagi avec vivacité. Pour empêcher la petite armée franco-anglo-serbe de Salonique de venir prêter main-forte aux Roumains, une force bulgare s'est portée dans la vallée du Vardar. Une autre force, grossie de régiments allemands, est entrée en Dobroudja. Enfin, à la

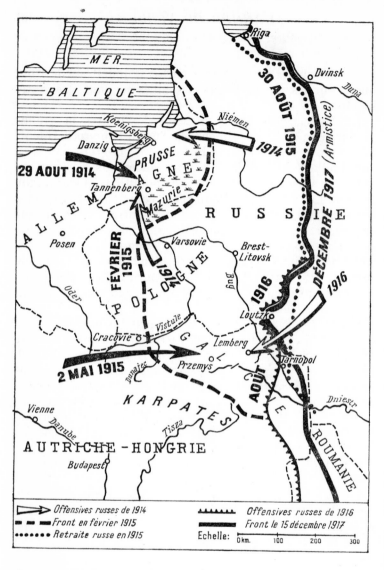

LE FRONT RUSSE AU MOMENT DE L'ARMISTICE DE BREST-LITOVSK.

fin de septembre, une armée germano-autrichienne a chassé les Roumains de Transylvanie.

Suit une accalmie. Mais en novembre, Allemands, Autrichiens et Bulgares conjugués reprendront l'offensive. Les Roumains, fort mal soutenus par les Russes, seront écrasés et, le 6 décembre, Bucarest sera occupé. L'intervention de la Roumanie n'aura servi qu'à ouvrir aux Empires centraux un vaste champ d'approvisionnement en blé et en pétrole.

Dans le Proche-Orient aussi l'année 1916 a apporté des déboires.

En 1915 les Britanniques avaient repoussé une attaque turque dirigée sur le canal de Suez puis, prenant l'offensive, ils avaient pénétré en Mésopotamie appelant les populatons de race arabe à se rebeller contre la domination turque.

Soupçonnant la richesse pétrolière de la région, ils entendaient bien à cette domination substituer la leur. Mais il a fallu faire sa part à la France, protectrice traditionnelle des chrétiens d'Orient. Le 9 mars 1916 une convention dite « accord Sykes-Picot » a délimité, entre les deux puissances, les futures zones d'influence : à l'Angleterre la Mésopotamie et la Syrie intérieure ; à la France la Syrie littorale, la Cilicie et la région de Mossoul. Quant à la Palestine, un statut international était en principe prévu pour elle mais déjà certains milieux londoniens songeaient à en faire un *Home* sioniste.

Autant de traites tirées sur l'avenir. En attendant, le corps expéditionnaire britannique de Mésopotamie s'est vu obligé de capituler à Kut-el-Amara où il était bloqué depuis plusieurs mois. En revanche, un peu après, les agents de l'*Intelligence Service* ont décidé Hussein, chérif de La Mecque, à se déclarer indépendant du sultan de Constantinople. A l'automne, une force britannique partie d'Égypte se prépare à venger le désastre de Kut-el-Amara, mais la situation reste fort confuse.

* * *

A l'Ouest, heureusement, l'évolution des événements est meilleure. Le Portugal, vieil allié de l'Angleterre, s'est rangé à ses côtés et se dispose à envoyer un contingent sur le front français. Et surtout Verdun a été définitivement dégagé.

Depuis le début du furieux assaut dirigé contre elle, la

cité meusienne est devenue, aux yeux de tous les peuples alliés, un symbole d'héroïsme. Visitant ses ruines, le ministre anglais Lloyd George a pu s'écrier : « Le souvenir de la victorieuse résistance de Verdun sera immortel parce que Verdun a sauvé, non seulement la France, mais notre grande cause commune et l'humanité tout entière. »

Et Poincaré, au cours d'une émouvante cérémonie, a remis solennellement à la ville martyre, en même temps que les insignes de la Légion d'honneur, ceux de la plupart des ordres militaires alliés.

Cependant Verdun restant serré de près, le général Nivelle, successeur de Pétain à la tête du secteur, s'est résolu à lui « donner de l'air ».

Nivelle est un beau soldat, aux traits réguliers, très sûr de lui, ami du panache, sachant parler éloquemment aux hommes. Parmi ses commandants de corps il compte un officier de tempérament analogue, plus vigoureux encore et qui s'est maintes fois distingué à la tête des troupes coloniales : le général Louis Mangin.

C'est sur le conseil de Mangin que le fort de Vaux et celui de Douaumont ont été désignés comme objectifs principaux. Le 24 octobre l'assaut est donné; nos troupes progressent rapidement, Douaumont est presque aussitôt enlevé, mais une suite de violentes contre-attaques empêchent que Vaux ne le soit avant le 2 novembre.

Presque tout le terrain gagné par les Allemands devant Verdun est reconquis et la ceinture de forts rétablie. Cette brillante opération, conduite à bien avec le minimum de pertes, fait le plus grand honneur à Nivelle. En quelques jours il devient célèbre et, dans les milieux politiques français, nombreux sont ceux qui réclament pour lui la place occupée par Joffre.

***

Les grandes batailles poursuivies en 1916 sur le front ouest n'ont pas grandi, aux yeux des opinions publiques, le prestige de ceux qui ont eu la responsabilité de leur direction.

En Allemagne on avait beaucoup espéré de l'offensive sur Verdun et, en France comme en Angleterre, beaucoup de celle de la Somme. Que, malgré tant de sacrifices, elles n'aient pas donné de résultats plus manifestes, voilà qui a causé une profonde déception. Sans doute les gouvernements expliquent-ils que l'objectif était moins la déroute de l'adversaire que son usure et que cette usure a été obtenue : le public averti soupçonne qu'elle a été à peu près aussi grande dans les deux camps.

La première victime du mécontentement a été Falkenhayn. Dès le 27 août, Guillaume II l'a relevé de ses fonctions de chef de l'État-major général — en fait, de généralissime — et l'a remplacé par Hindenburg. L'*alter ego* de celui-ci, Ludendorff, est resté auprès de lui avec le titre de premier Quartier Maître général.

Au début de décembre, c'est en Grande-Bretagne, non pas le commandant en chef (Haig est même promu maréchal), mais le premier ministre qui se voit atteint. Asquith a eu beau transformer son ministère libéral en ministère de coalition, il est resté suspect aux conservateurs qui lui en veulent de son indécision et se sont rapprochés du bouillant Lloyd George, naguère leur pire adversaire. Une intrigue bien conduite aboutit à la dislocation du cabinet Asquith et à son remplacement par un cabinet Lloyd George.

En France, les négligences révélées par les premiers succès de l'assaut contre Verdun ont amené les Assemblées parlementaires à revendiquer un droit de contrôle sur la conduite générale de la guerre. Le gouvernement a d'abord résisté puis, à partir de juin, il a accepté que les Chambres se réunissent parfois en « comités secrets » devant lesquels des informations confidentielles pourraient être données. A la fin de juillet un « contrôle parlementaire aux armées » a été institué et des commissaires, députés ou sénateurs, ont été chargés de procéder à des enquêtes périodiques auprès des armées. Inutile de dire que l'innovation a été fort mal vue du G. Q. G. de Chantilly.

« Soit, a déclaré Joffre, ces messieurs iront où ils voudront, non pas seuls, mais accompagnés d'officiers de mon État-major. Je ne puis admettre qu'ils aillent se fournir d'arguments contre mon commandement auprès de certains de mes subordonnés. »

Un tel propos, aussitôt rapporté, ne peut manquer d'accroître la mauvaise humeur parlementaire. Briand, qui toujours flaire le vent, comprend que s'il ne veut pas être renversé, il va falloir sacrifier Joffre.

Sa conviction s'ancre au cours des séances en comité secret que tient la Chambre à la fin de novembre et au début de décembre. Mais comment procéder à l'opération sans heurter, tant en France qu'à l'étranger, une opinion publique auprès de qui le vainqueur de la Marne jouit toujours d'un immense prestige ?

Le 3 décembre, le subtil président du Conseil suggère au généralissime une combinaison : il abandonnerait à Nivelle le commandement effectif des armées du Nord et du Nord-Est, mais il conserverait, avec le titre de général en chef des armées françaises, la direction supérieure de l'ensemble des opérations sur tous les théâtres. Joffre finit par accepter et, le 7 décembre, Briand peut annoncer à la Chambre une très prochaine réorganisation du Haut Commandement.

Le 9, il décide de remanier son ministère : un congrès socialiste vient de ne voter qu'à une faible majorité la continuation de la collaboration du parti avec le gouvernement et les ministres socialistes parlent de se démettre ; mieux vaut, estime Briand, prendre les devants.

Dans le cabinet reconstitué le 12 décembre, Roques est, à la Guerre, remplacé par Lyautey auquel les succès qu'il a emportés au Maroc avec de faibles moyens ont conféré une grande autorité (le général Gouraud est nommé à sa place résident général) ; les ministres d'État disparaissent ; Édouard Herriot, sénateur radical du Rhône, remplace Sembat aux Travaux publics ; un seul socialiste demeure : Albert Thomas, chargé du portefeuille, créé pour lui, de l'Armement.

La combinaison est bien accueillie par la majorité du Parlement. Reste, pour se conformer au désir manifeste de cette majorité, à achever l'élimination de Joffre.

C'est à l'amiral Lacaze, ministre de la Marine, et, en attendant l'arrivée de Lyautey, ministre de la Guerre par intérim, qu'il appartient de se charger de l'affaire.

Après avoir contresigné un décret nommant Nivelle commandant en chef des armées du Nord et du Nord-Est, il laisse entendre à Joffre que ses fonctions vont être ramenées à celles de conseiller technique du Comité de guerre restreint qui vient d'être constitué au sein du gouvernement. Le général marmonne que le pays comprendra difficilement que le vainqueur de la Marne soit ainsi traité puis, devant la ferme attitude de Lacaze, il se résigne.

Le 15 décembre, tandis que Nivelle établit son G. Q. G. non à Chantilly — l'endroit a pris fâcheuse réputation — mais à Beauvais, Foch rendu responsable partiellement des déboires de la Somme, est à son tour frappé : son commandement lui est ôté et il reçoit la médiocre mission d'étudier les conditions d'une éventuelle collaboration militaire franco-helvétique. Au sein du Comité de guerre, Joffre, inquiet sur son propre sort, a mal soutenu son lieutenant.

Lyautey, débarqué du Maroc, prend possession du ministère de la Guerre. Volontaire, autoritaire, ayant le goût des responsabilités, il ne saurait partager ses pouvoirs avec personne. Joffre comprend que le rôle qui lui a été attribué sera nul en fait et il donne sa démission. Lyautey lui demande de la garder secrète et, à la suggestion de Briand, il lui fait, par décret signé le 27 décembre, conférer la dignité de maréchal de France — dignité qui, depuis la mort de Canrobert en 1895, était restée sans titulaire.

Le nouveau maréchal se cantonnera dans une retraite pleine de dignité jusqu'à ce qu'au mois d'avril 1917 le gouvernement le charge d'une mission aux États-Unis.

Personnellement fort peu systématique, Joffre eut le tort, avant la guerre comme au début de celle-ci, de s'entourer de théoriciens purs et d'écouter leurs avis avec trop de complaisance. Son robuste bon sens l'amena ensuite à s'adapter aux faits, mais son intelligence un peu paresseuse ne lui permit pas toujours d'opérer cette adaptation avec la rapidité désirable.

Avant les hostilités il rendit certainement de grands services et, sans lui, l'armée française de 1914 n'eût pas été ce qu'elle fut. Assurément aussi la manœuvre qui aboutit à la victoire de la Marne doit être portée à son crédit quel qu'ait été le rôle important tenu par Gallieni. Enfin l'imperturbable sang-froid qu'il manifesta durant les dramatiques mois de Verdun contribua largement, sans nul doute, d'abord au rétablissement de la situation, puis à l'affaiblissement, physique et moral, de l'adversaire.

Cet homme à la carrure puissante, au regard sans éclat, à la parole sourde, était un roc. Point très grand capitaine sans doute, ni très grand animateur, mais esprit supérieurement équilibré et âme forte. Ne l'eût-on, à la fin de 1916, relevé de son commandement, le succès aurait-il, en 1917, couronné le plan qu'il avait conçu d'une offensive massive entre la Somme et l'Oise ? D'aucuns, fort qualifiés, le pensent. Il est néanmoins impossible de répondre catégoriquement à la question. En tout cas, le successeur immédiat de Joffre, le brillant Nivelle, ne le vaudra pas.

*
* *

La disgrâce de Joffre, d'ailleurs adroitement masquée, ne provoque pas dans le pays les remous que Briand craignait.

C'est que le pays a cessé de croire à l'infaillibilité du Haut Commandement.

Pendant près de cinq mois la bataille de Verdun a soumis ses nerfs à une rude épreuve ; les récits rapportés de « l'enfer » par les permissionnaires et les blessés convalescents ont rempli d'horreur les villages les plus reculés. Le cauchemar s'étant un peu dissipé, les premières nouvelles de la Somme ont suscité une immense espérance, analogue à celle qu'avait d'abord provoquée la victoire de la Marne. On ignorait la pensée profonde de Joffre, on ne se rendait pas compte de la morne signification du terme « guerre d'usure » ; on ne voulait trouver, dans les communiqués toujours optimistes mais quelquefois sibyllins du G. Q. G. que des promesses de trouée, avec au bout, la paix victorieuse.

L'offensive à la fin engluée dans la boue avec seulement quelques kilomètres conquis, la déception n'a guère tardé à se révéler profonde. Cette guerre ne finira-t-elle donc jamais ?...

Aux deuils qu'elle engendre s'ajoutent, en nombre croissant, des soucis matériels. Le prix des denrées augmente lentement mais de manière presque continue. En vain les préfets ont-ils, après le blé, taxé successivement le sucre, le café, le pétrole, les pommes de terre, le lait, le sulfate de cuivre : leurs arrêtés sont très souvent restés lettre morte. Le moratoire des loyers, décidé au début de la guerre, a été soumis à des conditions diverses par une loi du 22 avril 1916, mais cette réglementation compliquée offre matière à litiges et a mécontenté à la fois propriétaires et locataires. Le Français, qui semble presque préférer être atteint dans sa chair que dans sa bourse, se plaint avec amertume de la « vie chère ».

Dans les usines, où les ouvriers sont revenus nombreux par le jeu des affectations spéciales, on réclame des augmentations de salaires : pendant l'année 1916, 314 grèves ont éclaté, la plupart au cours du dernier trimestre.

Sans doute rares sont les Français qui avoueraient préférer une paix blanche immédiate au retour à terme de l'Alsace-Lorraine. La presse à grand tirage, *L'Humanité* incluse, organe officiel du parti socialiste, reste unanimement optimiste et « jusqu'auboutiste ». Les anciennes feuilles anarchisantes, telle *La Guerre Sociale* de Gustave Hervé, devenue *La Victoire*, enchériraient plutôt et, si *L'Homme Enchaîné* de Clemenceau ne ménage ses critiques ni au gouvernement ni au commandement, ce n'est que parce qu'il leur reproche de manquer d'énergie guerrière. Toutefois trois quotidiens qui viennent d'être créés donnent une note assez différente : *L'Œuvre*, de Gustave Téry, qui existait déjà avant la guerre comme hebdomadaire, se pique d'éviter tout « bourrage de crâne » (« Les imbéciles ne lisent pas *L'Œuvre* ») et publie des articles dont l'ironie confine au scepticisme ; *Le Populaire*, dirigé par Jean Longuet, petit-fils de Karl Marx, exprime, autant que la censure le lui permet, la tendance pacifiste du groupe minoritaire socialiste ; enfin *La Vague*, fondée par le député Pierre Brizon, l'un des « pèlerins de Kienthal », se fait une spécialité de relater, en y insistant, les souffrances du combattant et de publier des lettres amères venues du front. Sans être extrêmement répandues, ces feuilles n'en exercent pas moins une influence certaine. *La Vague* en particulier circule assez largement dans les tranchées.

Du point de vue militaire, l'année 1916 peut certainement sembler moins stérile pour la France que l'année 1915 qui fut encore plus sanglante, et elle laisse entrevoir des chances de victoire. Néanmoins les Français sont, à son terme, plus las et moins confiants que douze mois auparavant.

Cette lassitude et cette inquiétude sont plus sensibles encore dans les autres pays belligérants.

Dans le Royaume-Uni, les Irlandais ont violemment « saboté » la campagne organisée en faveur des engagements volontaires et, lors de la semaine de Pâques, ils ont été jusqu'à l'insurrection ; en novembre le vieux conservateur Lord Lansdowne, un des artisans de l'Entente cordiale, s'est publiquement prononcé en faveur d'une paix blanche ; quant aux travaillistes ils se préparent à combattre avec vigueur le projet gouvernemental prévoyant l'institution du service militaire obligatoire. En Russie, la situation intérieure tourne au chaos ; les ministres s'entendent couramment qualifier de traîtres ; les socialistes de la Douma lancent un appel à l'action révolutionnaire et, le dernier jour de l'année, le moujik Raspoutine, mauvais génie de la famille impériale, est assassiné par le prince Youssoupov, allié de cette même famille. En Italie, les neutralistes ne désarment pas et l'on en rencontre au sein même du gouvernement. En Roumanie la défaite qui vient d'être subie a fait relever la tête aux germanophiles et l'on parle déjà de paix séparée.

Dans le camp adverse, l'Allemagne n'a pas eu moins de deux millions de ses hommes mis hors de combat pendant l'année. Bien qu'officiellement cachées, ces pertes sont soupçonnées. Une fraction du parti socialiste a fait sécession, s'est proclamée hostile à la poursuite des hostilités, et son chef, Karl Liebknecht, a été condamné à deux ans de prison pour avoir publiquement crié : « A bas la guerre ! » De son côté, Erzberger, un des *leaders* du centre catholique, a pressenti le Vatican au sujet d'une éventuelle tentative de médiation. Tout cela d'ailleurs ne va pas encore loin. Impressionné par les généraux qui brandissent la « carte de guerre », le gouvernement de Berlin reste assuré de la victoire et prépare un programme d'annexions : à l'est la Pologne russe et les Pays baltes ; à l'ouest une grande partie de la Belgique et le bassin de Briey.

Le gouvernement de Vienne est, lui, plus inquiet. Ses troupes ont été souvent battues et le succès qu'elles viennent d'emporter sur les Roumains n'a pas suffi à rétablir leur moral ; le prestige du commandement est faible, et les désertions de soldats d'origine slave se multiplient. Les socialistes extrémistes s'agitent et l'un d'eux a abattu d'un coup de revolver le président du Conseil autrichien baron Stürgkh. En Hongrie, un grand seigneur, le comte Karolyi, a pris la tête d'un mouvement pacifiste. En novembre, l'empereur-roi François-Joseph est mort à l'âge de quatre-vingt-six ans, et son petit-neveu, l'archiduc Charles, qui lui a succédé sur un trône déjà vacillant, songe, un peu confusément, à inaugurer une politique nouvelle.

Il a insisté pour qu'aboutisse un projet d'offres de paix déjà antérieurement esquissé de concert entre Vienne et Berlin. Mais, tandis que le gouvernement austro-hongrois souhaiterait que ces offres fussent précises, le gouvernement allemand les veut vagues. Sa pensée est de jeter le trouble dans le camp de l'Entente sans pour cela renoncer à ses visées annexionnistes. Il finit par l'emporter, et la note germano-autrichienne qui, le 12 décembre, est communiquée à Paris, Londres et Pétrograd par l'intermédiaire de neutres se borne à suggérer l'ouverture de pourparlers de paix. Flairant le piège, les trois cabinets alliés sont unanimes à repousser une proposition « sans sincérité ni portée ».

L'année 1917 — l'« année trouble » comme la nommera Poincaré — verra les ferments apparus en 1916 provoquer d'intenses bouillonnements et même, en un point, une gigantesque explosion. Elle verra aussi, en même temps que la révolution russe, l'intervention américaine : autant dire l'avènement d'un monde nouveau.

CHAPITRE VI

L'EUROPE VACILLE

LES ÉTATS-UNIS EN SCÈNE. LE PRÉSIDENT WILSON INVITE LES BELLIGÉRANTS A FAIRE CONNAITRE LEURS BUTS DE GUERRE. IMPRÉCISION DES RÉPONSES. ‖ L'ALLEMAGNE, POUR FAIRE PLIER L'ANGLETERRE, DÉCIDE LA GUERRE SOUS-MARINE A OUTRANCE. ‖ RECUL STRATÉGIQUE ALLEMAND EN ARRIÈRE DU SAILLANT DE NOYON. ‖ LA PREMIÈRE RÉVOLUTION RUSSE. EFFONDREMENT DU TSARISME. LÉNINE A PÉTROGRAD. DÉSORGANISATION DE L'ARMÉE. ‖ LA DÉMISSION DE LYAUTEY ENTRAINE CELLE DU CABINET BRIAND ENTIER. ‖ MINISTÈRE RIBOT. ‖ LES ÉTATS-UNIS DÉCLARENT LA GUERRE A L'ALLEMAGNE. ‖ LASSITUDE A VIENNE. DÉMARCHES DU PRINCE SIXTE, LEUR ÉCHEC. L'AUTRICHE-HONGRIE CONDAMNÉE. ‖ PLANS AVENTUREUX DU GÉNÉRAL NIVELLE. ‖ TERGIVERSATIONS. ‖ L'OFFENSIVE D'AVRIL 1917, SON COUTEUX ÉCHEC. NIVELLE REMPLACÉ PAR PÉTAIN. ‖ «ATTENDRE LES AMÉRICAINS ET LES TANKS.» ‖ APRÈS D'ÉCLATANTS SUCCÈS, LA GUERRE SOUS-MARINE VA VERS L'ÉCHEC. ‖ CRISE MORALE EN FRANCE. ASPIRATIONS VERS LA PAIX ET MANŒUVRES DE TRAHISON. MUTINERIES DANS L'ARMÉE FRANÇAISE : L'AUTORITÉ HUMAINE DE PÉTAIN Y MET TERME. ‖ UN SUCCÈS DIPLOMATIQUE : LE ROI CONSTANTIN EST CONTRAINT A ABDIQUER ET LA GRÈCE SE RANGE AUX COTÉS DES ALLIÉS. ‖ OFFENSIVE BRITANNIQUE EN FLANDRE. ‖ LE GOUVERNEMENT PROVISOIRE RUSSE MENACÉ PAR LES SOVIETS. ‖ CONSÉQUENCES POUR LE FRONT DE L'OUEST DE LA DISLOCATION DE L'ARMÉE RUSSE. ‖ DÉBARQUEMENT DES PREMIERS CONTINGENTS AMÉRICAINS. ‖ MALAISE PERSISTANT A L'INTÉRIEUR. DÉMISSIONS DE LACAZE ET DE MALVY. PAINLEVÉ SUCCÈDE A RIBOT COMME PRÉSIDENT DU CONSEIL. ‖ L'ALLEMAGNE AUX MAINS DE L'ÉTAT-MAJOR. ‖ VAIN APPEL A LA PAIX DU PAPE BENOIT XV. ‖ CRITIQUES FRANÇAISES CONTRE LA MOLLESSE DU GOUVERNEMENT. ‖ SUCCÈS MILITAIRE AU CHEMIN DES DAMES. ‖ LA RÉVOLUTION SOVIÉTIQUE EN VUE.

A L'AUBE DE 1917, l'ombre des États-Unis commence à se profiler sur l'Europe. Dès le mois de septembre précédent, les gouvernements de Berlin et de Vienne ont suggéré au président Wilson de proposer ses bons offices aux belligérants. Mais Wilson, qui sollicitait le renouvellement de son mandat, était alors absorbé par les soins de sa campagne électorale. Ce ne fut qu'après avoir été, en novembre, réélu pour quatre ans qu'il songea sérieusement à faire entendre sa voix de l'autre côté de l'Atlantique.

L'opinion américaine était fort divisée. Les éléments d'origine germanique, puissants dans le corps électoral et dans la presse, mettaient tout en œuvre pour que les États-Unis ne sortissent pas de la neutralité ; en revanche, la haute banque de Wall Street souhaitait une intervention armée car elle se préoccupait du remboursement des emprunts qu'elle avait émis au profit des Alliés ; il en allait de même des industriels de l'Est et des agriculteurs du *Middle West* que gênait la contraction des exportations.

D'autre part, tandis que la propagande des Empires centraux se montrait maladroite, celle de l'Entente témoignait de beaucoup d'habileté, faisant appel aux sentiments démocratiques du peuple américain contre les « puissances de proie » encore féodales : de ce moment date vraiment, au profit de la France et de l'Angleterre, l'apparition d'une arme idéologique de rare efficacité.

Le 17 décembre 1916, Wilson adresse à tous les belligérants une note dans laquelle il leur demande de faire connaître les conditions auxquelles ils accepteraient d'arrêter les hostilités.

Depuis trois mois, sous l'influence des militaires, le gouvernement allemand s'est raidi. Aussi réplique-t-il à Wilson qu'il lui paraît préférable que la paix soit négociée directement entre les adversaires sans bons offices d'un neutre. La réponse de l'Entente est plus encourageante bien que volontairement assez vague : il y est pourtant question de la restitution de l'Alsace-Lorraine à la France et de la libération des minorités nationales existant dans l'Empire austro-hongrois comme dans l'Empire ottoman.

(Le retour de l'Alsace-Lorraine est d'ailleurs, dans l'esprit du gouvernement de Paris, un minimum : il entend aussi réclamer l'annexion à la France du bassin houiller de la Sarre et la constitution des provinces rhénanes en « État tampon et neutralisé ». En février, l'ancien président du Conseil Doumergue, envoyé en mission à Pétrograd, obtiendra du gouvernement russe l'engagement d'appuyer ces prétentions ; en contrepartie, la France promettra à la Russie de « lui laisser toute liberté de fixer à son gré ses frontières occidentales ».)

On ne se fait d'ailleurs point d'illusion dans les capitales alliées sur les chances que de semblables bases ont, pour le moment, d'être acceptées. Il apparaît au contraire certain que les gouvernements allemand et austro-hongrois — le premier remorquant le second — sont maintenant décidés à jouer le tout pour le tout.

Le 9 janvier 1917, à l'issue d'une conférence militaire et navale tenue à Pless, Guillaume II signe ces lignes dont les conséquences se révéleront fatales pour lui et son empire :

« J'ordonne de commencer le 1er février la guerre sous-marine sans restriction et avec la plus grande énergie. »

Tandis que les préparatifs s'achèvent l'ordre impérial est tenu secret ; mais le 31 janvier ce secret est levé et le gouvernement allemand déclare publiquement en état de blocus la moitié ouest de la mer du Nord, l'Atlantique depuis les îles Féroé jusqu'à l'Espagne, enfin la totalité des eaux britanniques. Tous les navires neutres rencontrés dans les zones bloquées s'exposeront à être coulées sans avertissement préalable, exception faite pour les transatlantiques américains suivant un itinéraire régulier.

C'est risquer presque à coup sûr la rupture avec les États-Unis. Mais les généraux et les amiraux qui sont maintenant les vrais maîtres de l'Allemagne — l'empereur est désemparé et le chancelier débordé — ont estimé que ce risque devait être couru.

Aucune armée américaine sérieuse, ont-ils calculé, ne saurait être mise sur pied avant dix-huit mois. Or, la guerre sous-marine aura, avant six mois, détruit le tiers du tonnage commercial allié et obligé les navires marchands des pays neutres à se tenir loin des eaux bloquées. Privée des grains et des viandes en provenance des deux Amériques, de l'Inde et de l'Australie, la Grande-Bretagne, ennemie n° 1, se verra affamée et se jettera à genoux. La France et la Russie suivront inévitablement. « Nous aurons au mois d'août la paix victorieuse », a affirmé devant Guillaume II le chef de son État-major naval.

En même temps, Hindenburg et Ludendorff (les « Dioscures ») ont élaboré un plan qui, en raccourcissant les lignes allemandes sur le front ouest, doit permettre de les tenir avec des effectifs réduits et d'attendre, retranché dans de meilleures positions défensives, les résultats de la terreur qu'on entend faire régner sur les mers.

Tandis que 500 000 civils belges, réquisitionnés, sont contraints de travailler dans les mines allemandes, une partie de la main-d'œuvre ainsi libérée est employée à construire deux positions fortifiées étagées en profondeur, l'une à l'arrière du saillant de Noyon (ligne Siegfried), l'autre à l'arrière du saillant de Saint-Mihiel. A partir du 25 février, les troupes allemandes, qui se trouvaient en avant de l'Ancre et dans la région de Lassigny, commencent, en dévastant tout sur leur passage, un mouvement de repli allant de 15 à 40 kilomètres et qui les ramène sur la ligne Siegfried. L'opération s'effectue dans le plus grand secret ; malgré les renseignements précis que lui donne l'aviation, le G. Q. G. français se refuse quelque temps à croire à sa réalité.

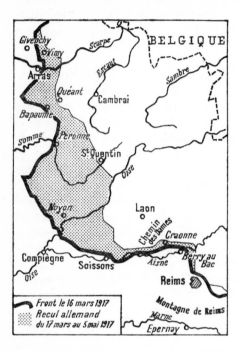

RECUL VOLONTAIRE ALLEMAND 1917.

***

Cependant, à l'est, un événement aux incalculables conséquences se produit : le régime tsariste s'effondre.

L'assassinat de Raspoutine n'a fait que hâter en Russie la décomposition des milieux dirigeants. La tsarine, persuadée que la vie de son fils, sur laquelle ne s'étendait plus

a protection du moujik thaumaturge, était maintenant
n danger, s'est figée dans une attitude de mysticisme hau-
ain qu'elle a fait partager à son faible mari ; toutes les
eprésentations de la famille impériale et des plus fermes
outiens du trône se sont heurtées à un mur de glace.

A la fin de février, la Douma est en effervescence ; les
évolutionnaires se préparent à passer à l'action ; le gouver-
ement est comme frappé de paralysie, le ministre de
'Intérieur, Protopopov, s'occupe moins d'assurer l'ordre
[ue d'évoquer, sur des tables tournantes, l'ombre de Ras-
outine, et son principal adjoint déclare : « Si la révolution
oit se produire, ce ne sera pas avant cinquante ans. » Aux
rmées la désorganisation s'étend ; dans les grandes villes
e ravitaillement commence à manquer.

Le 6 mars, un vent de rébellion souffle sur la capitale et
les cortèges parcourent les grandes artères en clamant
Du pain et la paix ! » Les jours suivants, les manifestants
e montrent de plus en plus tumultueux et agressifs. Le
1, le gouverneur militaire autorise les troupes à faire usage
e leurs armes. Mais le lendemain deux régiments de la
arde refusent de marcher et la mutinerie gagne de caserne
n caserne tandis que le feu est mis à plusieurs bâtiments
ublics.

Le 14, l'insurrection est maîtresse de Pétrograd. Les
inistres ont été arrêtés et deux autorités rivales se sont
onstituées : l'une est le Comité exécutif qu'a élu la Douma,
autre est un « Soviet des ouvriers et des soldats » que
ominent les révolutionnaires des diverses obédiences. Ce
oviet publie un *Prikaz n°* 1 déliant pratiquement la troupe
e toute obligation de discipline. On apprend en même
emps que le peuple de Moscou s'est, lui aussi, victorieu-
ement insurgé.

Le tsar a quitté par train le Grand Quartier général avec
intention de gagner sa résidence de Tsarkoïe-Selo. Mais le
onvoi a trouvé le chemin barré et a dû rebrousser chemin
squ'à Pskow. C'est là que, le 15, le souverain est rejoint
ar une députation de la Douma qui lui signifie qu'il
'a plus qu'à abdiquer. D'un fatalisme touchant à l'apathie,
s'y résigne sans difficulté, renonçant aussi à la couronne
our son fils et la transmettant à son frère le grand-duc
lichel. Sur la sommation du Soviet de Pétrograd, celui-ci
a la décliner.

Presque toutes les grandes villes de l'Empire sont maintenant passées à la révolution. L'orgueilleuse autocratie
tsariste est morte ; un gouvernement provisoire a été formé
sous la présidence d'un libéral, le prince Lwov, avec un
autre libéral, Milioukov, comme ministre des Affaires étrangères ; le Soviet des ouvriers et des soldats veut bien provisoirement reconnaître la suprématie de ce gouvernement,
mais il exige que le socialiste Kerensky en fasse partie. Le
20 mars, le gouvernement provisoire publie un long manifeste dans lequel il ne fait allusion à la guerre que pour
indiquer qu'il entend « observer fidèlement toutes ses
alliances ».

C'est peu. Néanmoins, en France comme en Angleterre,
l'opinion se réjouit de la chute d'un régime qu'on soup-
çonnait d'incliner à une paix séparée ; la Russie libre et
régénérée va, espère-t-on, mener la lutte avec une vigueur
accrue.

Il faudra déchanter. Si le ministre des Affaires étrangères
Milioukov proteste de la volonté belliqueuse du gouvernement provisoire, en revanche le Soviet de Pétrograd
réclame l'ouverture immédiate de négociations « avec les
ouvriers des pays ennemis ». L'anarchie ne cesse de se
propager et ronge les armées ; les officiers ont perdu toute
autorité et nombre de soldats se démobilisent eux-mêmes
pour regagner leurs villages où ils comptent participer
au dépècement des domaines de la Couronne. Bientôt il
apparaîtra qu'on ne peut plus compter, dans la lutte
commune, sur la force russe. L'Allemagne ne néglige d'ailleurs rien de ce qui peut la saper plus profondément encore.
Elle va autoriser les chefs socialistes extrémistes qui sont
réfugiés en Suisse, Lénine à leur tête, à traverser son territoire en wagon plombé et, le 16 avril, l'explosif chargement
arrivera à Pétrograd. Dès le lendemain, devant le congrès
panrusse des Soviets, Lénine prendra violemment parti
contre la guerre et annoncera la conquête prochaine du
pouvoir par les bolcheviks (les *bolcheviks* ou maximalistes
sont les socialistes extrémistes ; ils s'opposent aux *men-
cheviks* ou minimalistes, socialistes modérés). Date capitale. Au-dessus du vieux monde ébranlé et sanglant,
l'Allemagne aura ouvert les portes aux cavaliers de l'Apo-
calypse.

Bien qu'on ne soupçonne pas en France la terrible gravité des événements de Russie, ils n'y ont pas moins leur répercussion : les têtes s'échauffent, les mécontentements se manifestent, les grèves se font nombreuses et l'agitation politique reprend avec une intensité oubliée depuis août 1914. La Chambre connaît des séances houleuses. Au cours de l'une d'elles, tenue le 14 mars, le général Lyautey, qui a pris l'initiative de créer une direction de l'Aviation indépendante des directions d'armes, ministre de la Guerre, déclare qu'il lui est impossible, même en Comité secret, de révéler certains détails techniques concernant ce qu'on commence à appeler la « cinquième arme ». Devant ce doute jeté sur leur discrétion, les députés s'insurgent et des clameurs furibondes retentissent à gauche. Lyautey, qui méprise le monde parlementaire et qui, d'autre part, est en désaccord avec le G. Q. G., quitte la salle des séances puis donne sa démission. Celle-ci entraîne, à quelques jours de distance, la dislocation du cabinet. Briand, selon son habitude, ne s'entête pas et « passe la main ».

Le président de la Chambre Deschanel ayant refusé de constituer un nouveau ministère, c'est Alexandre Ribot, ministre des Finances dans le cabinet démissionnaire, qui s'en voit chargé par Poincaré.

Le 20 mars, la combinaison est sur pied. Ribot prend, avec la présidence du Conseil, le portefeuille des Affaires étrangères et cède celui des Finances au député modéré Joseph Thierry. Le radical Paul Painlevé devient ministre de la Guerre. Viviani, Malvy, l'amiral Lacaze, Clémentel et Albert Thomas restent respectivement à la Justice, à l'Intérieur, à la Marine, au Commerce et à l'Armement. Le député Maginot, grand blessé de guerre, va aux Colonies; l'Instruction publique échoit au sénateur Steeg, protestant du type anticlérical ; au Travail on voit reparaître le vieux Léon Bourgeois. (Quelques semaines après, Lyautey retrouvera avec joie son poste de résident général au Maroc, tandis que son intérimaire, le général Gouraud, prendra, sur le front français, le commandement d'une armée.)

La déclaration ministérielle affirme « une volonté de poursuivre la guerre jusqu'à la victoire, non comme nos ennemis dans un esprit de domination et de conquêtes, mais avec le ferme dessein de recouvrer les provinces qui nous ont été autrefois arrachées, d'obtenir les réparations et les garanties qui nous sont dues et de proposer une paix durable, fondée sur le respect des droits et la liberté des peuples ». Cette déclaration est approuvée à l'unanimité des 440 votants, mais il y a une centaine d'abstentions.

Quelle que soit la valeur intellectuelle de la plupart des membres du nouveau cabinet, aucun n'a le tempérament d'un vrai chef de guerre. Le président du Conseil en particulier, grand parlementaire, plein d'honneur et de savoir, manque fâcheusement d'énergie.

Tel quel ce cabinet va avoir à affronter les plus redoutables difficultés.

Ses débuts sont pourtant marqués par un événement hautement réconfortant : le 2 avril le Congrès américain déclare les États-Unis en état de guerre avec l'Allemagne.

C'est l'aboutissement de la rapide évolution qui s'est produite depuis que le gouvernement allemand a décidé la guerre sous-marine à outrance.

Cette décision a été notifiée à Washington le 31 janvier. Dès le 3 février, le gouvernement américain, estimant violée la « promesse solennelle » qui lui avait été faite, a rompu ses relations diplomatiques avec l'Allemagne.

Le président Wilson, resté au fond pacifiste, espérait que ce geste suffirait à faire entendre raison au gouvernement de Berlin. Mais quelques jours plus tard l'Amirauté britannique a communiqué à Washington le texte d'un télégramme capté par elle et dont il résultait que l'Allemagne encourageait le Mexique à prendre les armes contre les États-Unis. La sensation a été immense, et les germanophiles américains n'ont plus osé se manifester.

Néanmoins le président hésitait encore quand, le 19 mars, le vapeur américain *Vigilentia* fut coulé en Atlantique avec son équipage. Sous la pression de l'opinion, Wilson adressa alors au Congrès un message réclamant l'ouverture des hostilités : votée à une énorme majorité, elle devint effective le 6 avril.

Il convient de noter que la déclaration de guerre a été signifiée à la seule Allemagne, non à l'Autriche ; de plus le gouvernement de Washington n'adhère point aux accords que les gouvernements de l'Entente ont conclus entre eux. De ces gouvernements il sera l'« associé », point l'allié, et il entend se réserver une position arbitrale. Ces nuances, rapprochées de l'arrivée de Lénine à Pétrograd, préfigurent tout un avenir.

*
* *

Il existe en Europe un certain nombre d'hommes que cet avenir inquiète et qui, dominant les passions du moment, se demandent si, de tant de sang répandu, pourra naître autre chose qu'affaiblissement général des belligérants et chaos. Ce sont souvent des conservateurs sociaux appartenant à ce qu'on pourrait appeler l'Internationale aristocratique et leur pacifisme est, par sa nature comme par ses objectifs, radicalement différent de celui des socialistes avancés. Ceux-ci veulent la paix pour pouvoir faire la révolution, ceux-là pour l'éviter.

Les pays neutres, la Suisse surtout, sont le lieu naturel de rencontre de ces bonnes volontés qui ne sont pas toujours désintéressées. Tandis que certains des négociateurs improvisés cherchent sincèrement un terrain d'entente, d'autres, agissant au nom de tel ou tel des belligérants, s'attachent surtout à découvrir les véritables intentions des adversaires et à jeter le trouble dans leurs esprits. Il est malaisé de se reconnaître au milieu des intrigues qui se croisent et s'entrecroisent et de distinguer les tentatives sérieuses de celles qui ne sont que simples bourdonnements.

De ces démarches de paix, une des premières en date, la plus intéressante aussi, est celle faite par le prince Sixte de Bourbon-Parme.

Le prince est le frère de Zita, impératrice d'Autriche, reine de Hongrie, mais il sert dans l'armée belge : c'est dire qu'il a un pied dans les deux camps.

L'empereur-roi Charles, époux de Zita, est, depuis son accession au trône, torturé par la pensée des dangers que la prolongation de la guerre fait courir à sa monarchie. Il n'ose pas se désolidariser de son puissant allié Guillaume II, mais il a chargé son nouveau ministre des Affaires étrangères, le gentilhomme tchèque comte Czernin, d'essayer d'obtenir du gouvernement de Berlin que celui-ci se déclare prêt à transiger sur l'Alsace-Lorraine. Il semble en effet certain que la France, à moins d'être écrasée, n'acceptera jamais une paix qui ne lui rendrait pas les provinces perdues en 1871. Le chancelier allemand Bethmann-Hollweg a indiqué secrètement à Czernin, le 16 mars, que « quelque chose de plus » que la simple évacuation de son territoire pourrait être offert à la France. Il ne s'est pas engagé au-delà, mais cela a suffi pour que Charles pensât qu'il serait peut-être possible de forcer la main de l'Allemagne.

Au début de mars, il invite le prince Sixte, avec lequel il a déjà pris contact, à se rendre à Vienne. Après avoir avisé le président de la République française, le prince accepte l'invitation. Quelques jours après, le souverain fait remettre à son beau-frère une lettre autographe datée du 24 mars, lettre écrite à l'insu de tous et dans laquelle se trouve cette phrase capitale : « *J'appuierai par tous les moyens les justes revendications françaises relatives à l'Alsace-Lorraine.* »

Le 31 mars, Sixte, revenu à Paris, apporte cette lettre à Poincaré. Peut-être, dans les commentaires verbaux dont il l'accompagne, outrepasse-t-il la pensée du signataire quand il affirme que l'Autriche-Hongrie serait disposée à négocier une paix séparée. En tout cas, l'ouverture paraît, à juste titre, très sérieuse, à Poincaré, à Ribot et aussi à Lloyd George. « C'est la paix ! » s'écrie le premier ministre britannique.

La lettre de l'empereur-roi ne prévoit toutefois rien en faveur de l'Italie. Aussi, quand Ribot et Lloyd George la résument à Sonnino, ministre italien des Affaires étrangères, au cours de l'entrevue qu'ils ont avec lui, le 19 avril, à Saint-Jean-de-Maurienne, ils sont mal reçus : l'Italien déclare catégoriquement que son pays ne saurait accepter rien de moins que les agrandissements qui lui ont été promis par le traité secret conclu à Londres en 1915.

Les hommes d'État français et britannique se rendent compte qu'à vouloir gagner l'Autriche, on risque de s'aliéner l'Italie. Pour amadouer celle-ci, ils lui promettent une part — Adalia et la région de Smyrne — dans l'éventuel dépècement de l'Empire ottoman. Cela ne suffisant pas, il est demandé au prince Sixte d'essayer d'obtenir de son beau-frère certaines concessions territoriales. Le prince repart en mai pour Vienne et en rapporte une note signée par Czernin. Mais cette note n'envisage d'abandons territoriaux que sous forme d'échange. Le gouvernement de Rome repousse catégoriquement la suggestion et l'affaire en reste là.

Il le faut regretter. Sans doute, contrairement à ce qu'avait cru pouvoir indiquer le prince Sixte, les ouvertures de l'empereur Charles constituaient-elles beaucoup moins une offre de paix séparée qu'une promesse d'énergique pression sur l'Allemagne. La démarche était pourtant fort significative et peut-être fût-on finalement parvenu à amener l'Autriche-Hongrie à abandonner son alliée. Quant à l'opposition italienne, peut-être aussi eût-on réussi à la surmonter. Mais il eût fallu pour cela que tous les hommes d'État dans le secret eussent la conviction que la cessation, totale ou partielle, des hostilités, était un bien d'une importance telle qu'il devait l'emporter sur beaucoup d'autres considérations. Or, on n'est point assuré que cette conviction, ils la possédassent au plus intime de leur être, entraînés qu'ils étaient dans le tourbillon des passions, redoutant d'être dupes, soucieux aussi de ne pas s'exposer au reproche d'avoir empêché, par des gestes prématurément conciliants, que les sacrifices déjà consentis ne portassent leurs fruits. Depuis que les conflits armés mettent aux prises toutes les forces vives des peuples belligérants, il est malheureusement moins difficile à un gouvernement de poursuivre une guerre que d'y mettre fin.

On peut ajouter que, sous l'influence des émigrés tchèques, slovaques et croates (sous celle notamment des professeurs, tchèques, Thomas Masaryk et Édouard Bénès, et de l'ingénieur slovaque Stefanik), sous l'action aussi d'un certain protestantisme antiromain et d'un certain anticléricalisme, il existait à Paris, à Londres et à Washington des milieux actifs qui considéraient la monarchie austro-hongroise comme une citadelle de féodalité et d'obscurantisme n'ayant plus sa place dans le monde moderne. Au Parlement Georges Clemenceau et au Quai d'Orsay le très brillant directeur adjoint des Affaires politiques Philippe Berthelot représentaient cette tendance. Dans les cercles universitaires français, le professeur Ernest Denis, spécialiste de l'histoire de Bohême, en était l'âme. En Angleterre, elle s'exprimait publiquement dans un périodique, *New Europe*, fondé, avec la collaboration de Masaryk, par Wickham Steed, principal correspondant diplomatique du *Times*. Aux États-Unis enfin, le très démocrate et très puritain président Wilson était, lui aussi, fort hostile aux Habsbourg.

Au printemps de 1917, toutes ces forces conjuguées commençaient, bien que les gouvernements alliés n'aient pas encore officiellement pris parti, à peser d'un grand poids.

*
* *

Cependant que l'intervention américaine et la révolution russe bouleversaient les données politiques de la guerre, cependant aussi que quelques tentatives étaient faites pour rechercher les conditions auxquelles il pourrait être mis fin à l'effusion de sang, les États-majors continuaient, comme c'était leur devoir, à élaborer des plans destinés à forcer la victoire.

Si, du côté des Empires centraux, le commandement allemand a en pratique réussi à se subordonner le commandement autrichien, en revanche du côté de l'Entente on ne peut procéder que par voie d'échanges de vues et de négociations.

Dès le 18 novembre 1916, Joffre étant encore commandant en chef des forces françaises, une conférence militaire interalliée s'est tenue au G. Q. G. de Chantilly pour coordonner les offensives qui devaient être entreprises au début de 1917. Il y a été résolu que le 1er février l'armée britannique — désormais grossie des recrues que lui fournit le service militaire obligatoire — attaquerait sur le front de la Somme et que, quinze jours plus tard, l'armée française en ferait autant sur le front de l'Aisne. Quant aux Russes et aux Italiens, ils ont promis de prendre l'offensive aussitôt que la fonte des neiges et l'état du terrain le permettraient.

Un premier retard a été causé par le changement intervenu en décembre dans le Haut Commandement français quand Joffre s'est vu remplacé par Nivelle. Ce dernier a, en matière tactique, des idées différentes de celles auxquelles l'expérience avait amené son prédécesseur à se rallier. Il reste persuadé que seule l'attaque brusquée, c'est-à-dire sans longue préparation d'artillerie, peut permettre d'enlever la décision. « Nous romprons le front allemand quand nous voudrons, déclare-t-il, à condition de faire l'opération par surprise. »

Son entourage enchérit et prône, plus encore que ne faisait l'entourage de Joffre au mois d'août 1914, les vertus de l'audace et de l'offensive à outrance. Lyautey, devenu ministre de la Guerre, se montre sceptique et davantage encore le commandant en chef anglais Sir Douglas Haig. L'optimisme de Nivelle n'en est pas moins contagieux et l'opinion parlementaire française incline à faire confiance à l'ardent généralissime.

Le programme arrêté à Chantilly a été modifié en conséquence et sa mise à exécution légèrement retardée. Voici maintenant que l'évacuation volontaire par les Allemands de la région de Lassigny oblige à l'altérer de nouveau. En même temps, la révolution de Pétrograd rend improbable que l'armée russe puisse tenir efficacement sa partie dans le concert. Cette défaillance amène très vite les Roumains et les Italiens, qui redoutent que les forces austro-allemandes devenues disponibles ne se retournent contre eux, à rester sur la réserve. A la fin de mars, il apparaît que l'offensive sur tous les fronts ne pourra avoir lieu. Si les Franco-Britanniques persistent à vouloir attaquer, il leur faudra attaquer seuls.

Nivelle n'est cependant nullement découragé et se déclare toujours assuré, non seulement d'un grand succès tactique, mais de la véritable victoire stratégique, de la « percée ». Il a obtenu que Sir Douglas Haig fût temporairement placé sous ses ordres, et le 4 avril, il précise ses instructions : les Britanniques rompront le front allemand entre Givenchy et Quéant, les Français entre Reims et Soissons. A la rupture succédera l'exploitation. « C'est par la marche en avant brusquée de toutes nos forces disponibles et par la conquête rapide des points les plus sensibles pour le ravitaillement des armées ennemies que nous devons chercher leur désorganisation complète. »

Beau programme, mais qui tient pour certaine la conquête, en quelques heures, des premières positions ennemies. Cette certitude n'est pas partagée par les quatre commandants français de groupes d'armées qui font discrètement part de leurs craintes à Painlevé, ministre de la Guerre.

Painlevé, qui est à la fois consciencieux et hésitant, se demande un instant si la sagesse ne voudrait pas que Nivelle fût relevé de son commandement et l'offensive contremandée. Il se borne pourtant à provoquer la réunion à Compiègne, le 6 avril, d'une sorte de conseil de guerre présidé par Poincaré et auquel participent, outre plusieurs ministres, le général en chef et les commandants de groupes d'armées. En présence de Nivelle ceux-ci, Pétain excepté, se montrent moins nets qu'ils ne le furent au cours de leurs entretiens avec Painlevé. Finalement, liberté d'action est laissée au généralissime ; il lui est seulement recommandée de ne pas sacrifier à des « espoirs stratégiques » la préparation du succès tactique.

Ces tergiversations n'ont pas laissé de susciter de l'amertume entre les grands chefs. Quelque chose en a filtré dans les couloirs du Parlement et les troupes elles-mêmes ont obscurément conscience d'un flottement. Le moral reste, dans l'ensemble, élevé mais la confiance n'est pas absolue.

Le 9 avril, Haig, obéissant à des instructions qu'il n'approuve pas, lance sa première attaque : les Britanniques emportent la crête de Vimy sans pour cela briser le dispositif défensif de l'ennemi ; le 12, l'armée française de Franchet d'Esperey pousse en direction de Saint-Quentin, mais son avance est tôt stoppée ; le 16 a lieu l'assaut principal donné, entre l'Oise et la montagne de Reims, par le groupe d'armées du général Micheler.

Le mauvais temps a ralenti les mouvements préparatoires ; les Allemands ont été alertés par la capture d'importants documents ; l'effet de surprise, sur lequel comptait par-dessus tout le général en chef, est entièrement manqué. Avant midi, l'élan de l'offensive est brisé ; sur la crête du Chemin-des-Dames il n'a pas été possible de dépasser la première position allemande, et ce n'est que sur un point, entre Craonne et Berry-au-Bac que la seconde position a été abordée.

Pendant trois jours on tente en vain de persévérer. Le 19 avril, ordre est donné d'arrêter les opérations.

Sans doute les armées franco-britanniques ont-elles fait quelque 40 000 prisonniers et obtenu certains succès tactiques. Mais leurs pertes ont été lourdes (chez les seuls Français, 60 000 tués environ), et les grandes espérances qu'avait suscitées le plan Nivelle se sont indiscutablement effondrées.

Le général en chef ne se tient pas pour battu et, entre le 30 avril et le 5 mai, il déclenche, de part et d'autre de Reims et sur le chemin des Dames, une série d'attaques partielles qui, coûteuses en vies humaines, ne donnent que de faibles résultats. Son autorité morale en est fort diminuée tant sur les troupes qu'auprès du gouvernement. Déjà celui-ci a conféré à Pétain, avec le titre de chef d'État-major général, un droit de regard sur l'ensemble des opérations. Le 15 mai, un pas de plus est fait : à la demande de Painlevé le Conseil des ministres destitue Nivelle et le remplace par Pétain, auquel Foch, relevé de sa disgrâce, succède comme chef d'État-major général et conseiller militaire du gouvernement.

Le nouveau commandant en chef affirme aussitôt son intention de s'abstenir provisoirement de toute opération d'envergure. « J'attendrai les Américains et les chars d'assaut », déclare-t-il.

Après tant de sanglants déboires, c'est la sagesse. Mais c'est aussi la fin de l'espoir de voir la guerre victorieusement terminée en 1917.

* *

Sur les fronts de l'est et sur le front du Carso, les conséquences de la révolution russe ont paralysé la grande offensive prévue par les Alliés ; sur le front ouest cette offensive a été déclenchée mais dans les pires conditions et elle a abouti à un complet échec. En revanche, dans le même temps, la campagne sous-marine entamée par l'Allemagne à compter du 1er février 1917 a pu sembler sur le point d'être victorieuse.

L'État-major allemand avait prévu que 600 000 tonneaux seraient en moyenne coulés chaque mois. Dès le mois de février, en dépit de tempêtes qui entravaient l'action des sous-marins, 540 000 tonneaux ont été efficacement torpillés ; en mars 570 000 tonneaux ont été envoyés au fond et 840 000 en avril. Si les destructions devaient continuer sur ce rythme, un tiers de la flotte marchande servant au ravitaillement de la Grande-Bretagne aurait disparu au mois d'août et les navires neutres cesseraient complètement de se risquer dans les eaux interdites. Or le sol britannique ne saurait nourrir ses habitants pendant plus de quatre mois par an, tout le reste des indispensables subsistances devant être importé. Ces importations devenant en grande partie impossibles, c'est le spectre de la famine qui serait en vue. Et peut-être avec lui la capitulation.

Dès le milieu de mars, l'Amirauté de Londres s'est émue

et le premier Lord maritime, amiral Sir John Jellicoe, a fait tenir au cabinet un mémorandum inquiet. Des mines et des filets d'acier ont été disposés à travers le Pas de Calais, mais les sous-marins allemands ont tourné par le nord les Iles Britanniques. Les patrouilles de torpilleurs et de destroyers ont été multipliées mais, par des plongées rapides, l'ennemi a le plus souvent échappé à leur chasse. On a obligé les navires de commerce se dirigeant vers un port du Royaume-Uni à suivre des routes étroitement surveillées, mais cette surveillance a été déjouée et les itinéraires fixes sont devenus des « nids à submersibles ». A la fin d'avril l'Amirauté allemande pouvait se flatter de l'espérance que son plan serait exécuté point par point.

Espérance bientôt déçue : en mai, le chiffre du tonnage coulé n'est plus que de 591 000 tonneaux ; il se relèvera, en juin, à 695 000 tonneaux pour retomber en juillet à 550 000 tonneaux ; en août, 506 000 tonneaux seulement seront envoyés au fond et 351 000 en septembre.

A quoi faudra-t-il attribuer ce revirement ? D'abord à l'usure progressive de la flotte sous-marine allemande. Ensuite à l'efficacité croissante des moyens de défense mis en œuvre par les Alliés en grande partie sur les conseils de l'amiral Lacaze, ministre français de la marine, qui a fait de la guerre sous-marine l'objet de sa particulière étude : multiplication des patrouilles de chasse (elle vont compter bientôt 8 000b âtiments légers), emploi judicieux de l'aviation navale, camouflage et surtout inauguration du système des convois protégés par une forte escorte de torpilleurs. Enfin, à l'intervention active de la marine de guerre américaine.

Parallèlement, le tonnage nouveau placé à la disposition des Alliés ne cessera d'augmenter. Les États-Unis ne se contenteront pas d'utiliser à plein leur flotte marchande existante et de mettre en chantier des centaines de transports ; ils jetteront aussi l'embargo sur les exportations américaines destinées aux neutres européens, obligeant ainsi ces derniers à négocier la levée de cet embargo contre la remise à la mer de leurs navires de commerce. Dès le début de l'automne 1917 le tonnage nouvellement disponible excédera en quantité le tonnage coulé ; l'Allemagne verra s'envoler l'espoir d'obtenir de la guerre sous-marine le résultat rapide qu'elle en attendait ; elle devra renoncer à affamer l'Angleterre et ce sera elle, au contraire, qui éprouvera, de manière sans cesse plus angoissante, les effets du blocus.

Sans que l'on s'en rende compte sur-le-champ, cet échec de l'offensive sous-marine allemande marquera le tournant décisif de la guerre et il contribuera, presque autant que les succès que les alliés emporteront sur terre en 1918, à la victoire finale.

*
* *

Auparavant la France aura traversé une grave crise morale.

L'échec de la grande offensive d'avril, dont on avait attendu merveilles, a suscité dans le pays une déception amère. Encouragés par l'exemple venu de Russie, les syndicats ouvriers en ont profité pour redoubler d'activité, et les mouvements grévistes, qui vont se multipliant, ont pris une allure politique de plus en plus accentuée. La Fédération des Métaux, en particulier, qui, à la faveur du développement des industries de guerre, a vu ses effectifs passer de 7 000 à 200 000 cotisants, s'est affirmée nettement révolutionnaire et a lancé un manifeste dans lequel on a pu lire : « Nous saurons, s'il le faut, nous dresser pour nous unir à nos camarades de Russie et d'Allemagne dans une action internationale contre la guerre de conquêtes. »

En mai, 71 industries sont touchées par la grève et plus de 100 000 ouvriers ou ouvrières ont quitté le travail. A Paris, des défilés tumultueux ont lieu au cri de « A bas la guerre ! » Cependant Malvy, ministre de l'Intérieur, se refuse à faire arrêter les meneurs. Il ménage les journaux d'extrême gauche, tel *Le Bonnet rouge* d'Almeyreda, et il négocie avec les chefs syndicalistes. Tactique qui lui vaut d'âpres critiques, mais qui ne va pas sans porter effet : dès le mois de juin l'agitation gréviste s'apaisera, puis tombera.

Le parti socialiste apparaît de plus en plus divisé : tandis que la majorité de ses membres reste fidèle à l'Union sacrée, une minorité nombreuse s'en sépare catégoriquement et réclame « la paix immédiate sans annexion ». Quand, à la fin de mai, le gouvernement, contre l'opinion de Malvy, refuse leurs passeports aux délégués désignés pour participer à la conférence socialiste internationale convoquée à

Stockholm, de furieuses discussions ont lieu au sein du comité exécutif du parti : il en ressort que les partisans de la paix blanche sont maintenant très près d'être les plus nombreux.

Aussi bien n'est-ce pas seulement chez les socialistes que l'on rencontre ces partisans. Quelque chose a filtré de la tentative faite par l'empereur Charles, et à droite beaucoup désireraient que cette tentative eût une suite. Chez les radicaux-socialistes aussi, assez nombreux sont ceux qui souhaitent la rapide ouverture de négociations : au cours d'un récent séjour à Rome, Caillaux s'est laissé aller à prendre contact, sans en aviser le gouvernement français, avec certains intermédiaires mandatés par l'ennemi et il a tenu en public des propos que notre ambassade a qualifiés de défaitistes. Autre radical d'importance, l'ancien ministre Victor Augagneur prononce devant la Chambre, en séance de comité secret, un discours concluant à la nécessité de reviser les buts de guerre français pour les rendre « plus modestes ». En marge des partis enfin, Briand, conciliateur-né, dissimule à peine ses inquiétudes et il prête l'oreille à une suggestion que lui fait tenir indirectement le baron de Lancken, ancien conseiller de l'ambassade d'Allemagne à Paris, devenu gouverneur général de Belgique occupée. Il s'agirait d'une entrevue ayant pour objet d'amorcer des pourparlers de paix. Lancken, autorisé par Bethmann-Hollweg, a fait savoir que l'Allemagne se résignerait sans doute à abandonner « l'angle sud-ouest de l'Alsace » et « quelques cercles » de Lorraine ; Briand est tenté mais, en bon diplomate qui sait qu'il ne faut jamais commencer par des concessions, il déclare que la France ne saurait se contenter de rien de moins que de l'Alsace-Lorraine tout entière.

Bien au-dessous des Français que scandalise tant de sang en vain répandu et qui se demandent, à tort ou à raison, si la poursuite de la « victoire totale » vaut de continuer le massacre, s'agite une tourbe de traîtres : Lenoir et Desouches, le premier fils prodigue d'un agent de publicité, le second avoué marron, qui ont reçu ensemble 21 millions de l'Allemagne pour acheter le quotidien français *Le Journal;* Paul Bolo, dit Bolo Pacha, aventurier international qui, pour faciliter l'affaire, s'est fait remettre 10 millions supplémentaires (Letellier, propriétaire du *Journal,* et son directeur politique, le sénateur Charles Humbert, ont empoché une partie de l'argent sans trop s'interroger sur sa provenance) ; Mata Hari, une danseuse courtisane que ses charmes ont fait pénétrer dans l'intimité d'hommes politiques importants et qui, elle aussi, émarge au budget de la propagande allemande ; Duval, ancien petit employé de l'Assistance publique, envieux et aigri, qui sert de truchement pour la distribution de la manne ; Almeyreda, anarchiste taré, directeur du *Bonnet Rouge*, qui s'est laissé corrompre en même temps que Duval, administrateur de la même feuille... D'autres encore, pour la plupart perdus de vices, mais auxquels, avant la guerre, la « République des camarades », bonne fille, s'était montrée indulgente.

Sans doute est-il dommage que les abjectes manœuvres de ces misérables aient pu, une fois révélées, être confondues avec les aspirations d'hommes bien intentionnés et nullement vénaux vers une paix qui eût arrêté l'effusion de sang et empêché la dislocation de l'Europe. L'ignominie des premiers a fâcheusement éclaboussé ce qui était peut-être la clairvoyance des seconds. N'est-il pas permis de se demander si une chance de sauver la vieille civilisation européenne ne fut pas là perdue ?... Simple question à laquelle il serait hasardeux de proposer une réponse. En tout cas on ne refait pas l'Histoire.

*
* *

Les vœux de paix plus ou moins ouvertement formulés et les manœuvres corruptrices peuvent ébranler le moral de l'arrière : la solidité du front n'en saurait être directement affectée. En revanche, les mutineries qui, à la fin de mai et au début de juin, se produisent parmi les combattants menacent un moment ce front d'écroulement.

Le coûteux échec de l'offensive d'avril avait atteint la confiance des troupes dans le commandement. Quand, ensuite, Nivelle a déclenché sur le front de Champagne une série d'attaques qui ne pouvaient, d'évidence, aboutir à rien, le malaise s'est çà et là mué en colère. Le 20 mai, plusieurs régiments refusent de monter en première ligne.

Résistance passive plutôt que sédition et aucun officier n'est molesté. Mais, sous l'influence d'une propagande d'origine syndicaliste menée dans les gares et les cantonne-ments, le mouvement ne tarde pas à s'étendre. Les refus d'obéissance se multiplient et, là même où il ne s'en manifeste pas, les chefs ne tiennent plus solidement leurs soldats en main. Deux régiments cantonnés à Soissons vont jusqu'à décider de marcher sur Paris pour y exiger du Parlement la conclusion d'une paix immédiate. L'armée française est-elle guettée par la décomposition qui pourrit l'armée russe ?

Un début d'affolement saisit les pouvoirs publics. Au cours d'une séance de la Chambre tenue en comité secret, Painlevé, ministre de la Guerre, s'est écrié en roulant des yeux effarés : « Nous vivons en ce moment des heures tragiques ! » A la tribune, Pierre Laval, au nom des socia-listes extrémistes, dénonce les chefs dont l'impéritie a, dit-il, acculé leurs troupes au désespoir. Dans les couloirs cir-culent les bruits les plus pessimistes. Mais Pétain, comman-dant en chef depuis le 15 mai, conserve intacts et son calme et son sens de l'humain. Ces qualités conjuguées vont lui permettre de dominer la crise.

Des exemples sont inévitables. Le commandant en chef donne pour instructions qu'ils soient faits rapidement et soient aussi peu nombreux que possible. D'après le Code militaire, le refus d'obéissance en présence de l'ennemi entraîne la peine de mort : des milliers d'hommes pour-raient donc, en théorie, être passés par les armes. En fait, il n'est prononcé par les cours martiales que 150 condamna-tions capitales dont 23 seulement seront exécutées.

La répression toutefois serait vaine s'il n'était en même temps porté remède à l'origine du mal, c'est-à-dire à la lassitude physique, et au désarroi moral.

Utilement secondé par son major-général, le général Debeney, Pétain prend une série de mesures destinées à améliorer l'ordinaire, à aménager les périodes de repos, à régulariser les tours de permission. Surtout, se rendant personnellement dans les unités contaminées ou seulement menacées, il invite les chefs de tout grade à se rapprocher intimement de la troupe et à ne pas craindre de se faire au besoin ses interprètes auprès du Haut Commandement ; allant plus loin, il parle directement aux hommes, s'adresse à leur cœur, leur donne le sentiment que leurs peines ne sont point méconnues, que leurs justes revendications seront satisfaites et qu'on ne leur demandera plus de verser leur sang dans des entreprises futiles.

Magie de l'autorité naturelle jointe à une affection vraie : après le 10 juin, plus de désobéissance collective, après le 20, plus de murmures ou presque. Le soldat français s'est désormais convaincu de n'être pas aux yeux des chefs une pure machine, une simple chair à canon : la cohésion de l'armée est sauvée.

Pétain s'est montré, dans ces circonstances, plus efficace encore qu'à Verdun. En dépit des impatiences de certains états-majors il va maintenant rester ferme sur la ligne de conduite qu'il s'est tracée : « Attendre les Américains et les tanks. »

Par une directive adressée aux commandants de groupes d'armées, il prescrit l'échelonnement des troupes en profondeur : moins d'hommes sur les positions avancées, davantage à l'instruction et au repos. C'est l'avenir qu'il entend préparer ; pour le présent, il n'autorisera, au cours de l'été, que deux opérations de quelque envergure : l'une, en juillet, dans les Flandres, en liaison avec l'armée britannique, l'autre, en août, sur le front de Verdun de part et d'autre de la Meuse. Toutes deux, bien préparées, sagement menées, donneront les résultats limités mais nullement négligeables que l'on en attendait ; elles rendront du même coup aux unités engagées le goût de la victoire.

Sur un autre front, la France emporte en juin un avantage qui, pour être obtenu sans effusion de sang, n'en aura pas moins, à longue échéance, les plus heureuses conséquences.

L'armée franco-anglo-serbe concentrée dans le camp retranché de Salonique sous les ordres de Sarrail était fort gênée dans ses mouvements par la neutralité malveillante qu'observait à Athènes le roi de Grèce Constantin, beau-frère de Guillaume II. Longtemps les agents français se sont efforcés d'avoir raison de cette hostilité larvée ; en septembre 1916 ils ont déterminé Venizelos, que Constantin avait, en octobre précédent, écarté du pouvoir à Athènes, à former à Salonique un gouvernement insurrectionnel pro-allié ; le 1er décembre de la même année, l'amiral Dartige du Fournet, commandant des forces navales françaises en Méditerranée, a tenté à Athènes un débarquement « pacifique » ; l'opération, entreprise avec des moyens insuffisants, s'est soldée par un humiliant échec : nos fusiliers marins ont été reçus à coups de fusil et 57 d'entre eux ont trouvé la mort.

Le gouvernement français eût voulu que par représaille on chassât aussitôt le roi de Grèce ; pour des raisons dynastiques, le gouvernement britannique s'y opposa et ce ne fut qu'en mai 1917, au cours d'une conférence tenue à Londres, que Ribot, secondé par Foch, obtint de Lloyd George l'autorisation d'envoyer sur place l'ancien ministre des Affaires étrangères Jonnart en qualité de « haut commissaire des puissances ».

Cet homme d'État énergique et avisé part avec des instructions assez imprécises, Ribot lui ayant simplement dit que le gouvernement comptait à la fois « sur son esprit de décision et sur sa prudence ». Il n'en fait pas moins, dès son arrivée devant Athènes, occuper la Thessalie, grenier de la Grèce, par une division française tandis qu'un détachement de tirailleurs sénégalais débarque en baie de Kalamaki. Aussitôt après, le haut commissaire signifie à Constantin un ultimatum l'invitant à abdiquer en faveur de son second fils, le prince Alexandre. Le souverain se résigne, et un gouvernement très favorable aux Alliés est, le 26 juin, constitué sous la présidence de Venizelos qui déclare aussitôt rompues les relations entre la Grèce et les puissances centrales.

« Le succès vous a donné raison », mande Ribot à Jonnart. Cette opération rondement menée donne de l'air à l'armée alliée d'Orient et lui permettra de préparer la grande offensive qui, en octobre 1918, aboutira à l'effondrement du front ennemi dans les Balkans.

***

Revenons à l'Ouest.

Pendant l'offensive d'avril, l'armée britannique a été temporairement placée sous l'autorité du Haut Commandement français. Elle a ensuite repris son autonomie et, son moral n'ayant été à aucun moment atteint, elle est restée fort active. En juin, elle attaque la crête de Messines et s'en empare. A partir du 22 juillet, elle procède, sur le front des Flandres, à une série d'opérations qu'elle poursuivra jusqu'à la fin d'octobre. Opérations coûteuses en hommes et en matériel, mais qui ne vont pas sans comporter d'appréciables succès locaux ni mettre durement à l'épreuve les nerfs du commandement allemand.

Si, en cet été de 1917, la Grande-Bretagne porte au maximum son effort de guerre, celui de la Russie se détend de plus en plus.

Milioukov, ministre des Affaires étrangères dans le gouvernement provisoire constitué en mars, se proclamait fidèle à tous les accords conclus avec les Alliés. Mais en mai, sous la pression du Soviet de Pétrograd où Lénine a pris une très forte influence, il est acculé à la démission. La personnalité dominante du gouvernement provisoire est désormais le socialiste menchevik Kerensky, chaleureux orateur mais dépourvu de toute expérience politique. Tout en déclarant ne point vouloir rompre avec l'Entente, Kerensky affirme que l'adoption d'un programme de paix sans annexions est le seul moyen d'obtenir du peuple russe un sursaut national. En gage de bonne volonté, il parcourt le front, multipliant les discours enflammés. Le résultat est médiocre et une offensive déclenchée à la fin de juin en direction de Lvow se voit vite brisée par une contre-offensive allemande. Les troupes russes perdent 160 000 hommes dont 47 000 prisonniers. Plusieurs divisions ont refusé de marcher, les hommes désertent massivement et les officiers ont perdu tout vestige d'autorité. « L'armée russe, écrit l'attaché militaire britannique, ne vaut plus rien comme organisation combattante. »

Constatation angoissante pour l'Entente. Dans un rapport, Foch, chargé des relations militaires interalliées, précise que la carence russe, quand elle sera complète, donnera à l'Allemagne la possibilité d'aligner sur le front occidental 200 divisions d'infanterie homogènes auxquelles il ne pourra être opposé que 177 divisions assez disparates (106 françaises, 62 anglaises, 5 belges, 2 américaines, 2 portugaises).

Lloyd George qualifie ce rapport de pessimiste et attend beaucoup de la nouvelle offensive montée par les Italiens sur le front du Carso ; elle sera déclenchée en août mais ne donnera pas plus que les précédentes de résultats décisifs. Quant aux succès que les forces britanniques viennent de remporter en Mésopotamie, ils ne sauraient avoir d'influence sur les théâtres d'opérations européens.

En présence du péril grandissant, une seule action possible : hâter l'arrivée des contingents américains.

Lorsqu'ils sont entrés dans le conflit, les États-Unis ne disposaient que d'une armée régulière de 480 000 hommes, plus environ 400 000 gardes nationaux, le tout sans grandes traditions militaires. Mais le gouvernement de Washington a fait aussitôt voter une loi établissant la conscription et a orienté vers les fabrications de guerre le gigantesque équipement industriel du pays.

Dès le mois d'avril, Joffre, envoyé en mission outre-atlantique, a jeté avec le général Pershing, commandant en chef de l'armée américaine, les bases d'un programme de coopération militaire : les ports de débarquement seront ceux de l'Atlantique ; plusieurs camps d'instruction et d'entraînement seront organisés autour de Chaumont, de Langres et de Besançon ; la France se chargera de construire les canons de 75 et de 155 court dont sera dotée l'armée des États-Unis, ceux-ci fournissant l'acier nécessaire ; au début, les unités américaines envoyées sur le front seront amalgamées avec des unités françaises et britanniques, mais ensuite elles seront constituées en force distincte destinée à opérer à l'extrémité est du front français.

La première division américaine débarque à Saint-Nazaire le 28 juin. Le 14 juillet Pershing s'incline devant la tombe de La Fayette. Il a déjà câblé à Washington que les plans immédiats devaient être établis sur la base d'un effectif d'un million d'hommes et il a ajouté que, pour l'avenir, il fallait envisager le triplement de ce chiffre.

Pour sa première intervention armée dans les affaires d'Europe, l'Amérique voit grand. Mais les Alliés seront-ils en mesure d'attendre les effets de l'aide massive qui leur a été promise ?

Grâce à l'humaine autorité de Pétain, le moral des combattants français a été rétabli ; en revanche, celui de nombre de civils demeure atteint. La « vie chère » et la politique de restriction à laquelle il a bien fallu se résoudre entretiennent un sourd mécontentement. Dans les usines les grèves sont fréquentes et la propagande pacifiste menée par les syndicats ouvriers reste active. Les couloirs du Parlement, les salles de rédaction, certains salons aussi, bruissent de propos découragés. En même temps le réseau de trahison et de corruption dont il a été fait mention plus haut commence à être soupçonné. L'arrestation d'un des collaborateurs du *Bonnet Rouge* va bientôt conduire à celle d'Almeyreda, puis à celle de Bolo Pacha. Le public a cependant le sentiment que la police n'agit qu'à regret. Quand en août Almeyreda sera trouvé mort dans son cachot, on ne manquera pas de dire que cette mort a été provoquée pour éviter des révélations fâcheuses. On rappellera en particulier que, lors du procès criminel de Mme Caillaux, le *Bonnet Rouge* prit ardemment la défense de celle-ci évidemment contre subsides. De là à insinuer qu'Almeyreda continua ensuite à être l'homme à tout faire de Caillaux... L'orgueilleux homme d'État s'en défendra avec énergie. Mais il ne pourra nier avoir échangé une correspondance avec Bolo.

Malvy, le ministre de l'Intérieur, qui ménage l'extrême gauche, a certainement eu, depuis l'ouverture des hostilités, des contacts suivis avec la rédaction du *Bonnet Rouge*. Le 22 juillet, au cours d'une séance du comité secret tenue par le Sénat, Clemenceau les dénonce avec véhémence en même temps qu'il reproche au ministre de ne pas faire arrêter les distributeurs de tracts défaitistes. Son discours recueille de grands applaudissements et la réplique de Malvy comme celle du président du Conseil paraissent faibles.

Onze jours plus tard, l'amiral Lacaze qui, depuis vingt-deux mois, détenait avec une rare compétence le portefeuille de la Marine, donne sa démission pour protester contre l'enquête à laquelle la Chambre prétend soumettre l'administration de son Département, enquête à laquelle le président du Conseil ne s'est pas opposé. Il est remplacé par le sénateur Charles Chaumet.

Le 31 août, c'est au tour de Malvy de se démettre : il veut, déclare-t-il, pouvoir présenter librement sa défense. Le sénateur Steeg obtient sa succession.

Cette double démission ébranle définitivement le cabinet Ribot déjà affaibli par des dissensions intestines. Son chef n'estime plus pouvoir conserver ses fonctions et, le 12 septembre, un nouveau gouvernement est constitué sous la présidence de Painlevé, qui garde le portefeuille de la Guerre, Ribot conservant celui des Affaires étrangères. Les changements de titulaires sont d'ailleurs peu nombreux. Toutefois Viviani disparaît et aussi Albert Thomas qu'aucun autre socialiste n'accepte de remplacer. Un industriel non parlementaire, Loucheur, devient ministre de l'Armement. En outre cinq ministres d'État sont nommés, personnages consulaires.

Ce ministère, qui ressemble trop au précédent, est accueilli sans chaleur. Néanmoins, quand il se présente devant la Chambre, il y recueille une forte majorité, les socialistes s'abstenant.

L'atmosphère demeure trouble. A l'extrême gauche syndicaliste, la Fédération des Métaux poursuit sa campagne en faveur d'une paix sans annexion. Dans d'autres milieux, on ne veut pas renoncer à l'espoir d'une entente séparée avec l'Autriche-Hongrie. Avec l'autorisation du gouvernement, des contacts ont été pris à Fribourg entre un officier de réserve attaché à l'État-major de l'Armée, le comte Armand, et un parent de celui-ci, le diplomate autrichien Revertera. Ils n'ont servi qu'à montrer que Vienne n'ose pas se désolidariser de Berlin. Or, Berlin s'affirme de plus en plus intransigeant. En juillet le chancelier Bethmann-Hollweg, qui n'était pas sans s'effrayer des conséquences d'une guerre indéfiniment poursuivie, a dû céder la place au bureaucrate Michaelis, simple jouet aux mains de l'État-Major. C'est en vain que le Reichstag a voté une motion préconisant « une paix d'entente et de réconciliation durable entre les peuples ». La manifestation reste platonique car l'Allemagne n'a plus d'autres maîtres que les grands chefs militaires énergiquement appuyés par le Kronprinz.

Le 9 août le pape Benoît XV, après avoir fait sonder par Mgr Pacelli, nonce à Munich, différentes personnalités catholiques d'Allemagne et d'Autriche, publie une note indiquant les bases qui seraient, aux yeux du Saint-Siège, celles d'une paix juste et durable : reconnaissance de la « force morale du droit », liberté des mers, renonciation générale à toute indemnité de guerre, évacuation réciproque des territoires occupés, garantie donnée à la Belgique de sa pleine indépendance... Cette note ne satisfait que l'Autriche et peut-être la Russie (mais celle-ci, en proie a une terrible crise, ne compte plus guère diplomatiquement). Du côté allemand, l'État-major n'entend lâcher ni Liège, ni la côte flamande, ni le bassin de Briey, ni les provinces baltiques ; du côté britannique, on se méfie du principe de la liberté des mers ; du côté français enfin, on se refuse à envisager toute paix qui ne comporterait pas la restitution de l'Alsace-Lorraine. La note pontificale fait long feu et en France beaucoup de catholiques ne sont pas sans se scandaliser de sa teneur.

Seul peut-être des personnalités politiques françaises de premier plan, Briand ne renonce pas à l'espoir d'obtenir de l'adversaire des conditions acceptables. Il a, par voie indirecte, repris langue avec le baron de Lancken et il a été convenu qu'il le rencontrerait en Suisse le 22 septembre. Mais, avant de partir, il consulte Painlevé, puis Ribot, et, devant leur avis défavorable, devant aussi certaines réserves émanées de Londres et de Rome, il renonce au projet. Aussi bien, dans l'état d'esprit où se trouvait alors le commandement allemand, est-il plus que douteux qu'en dépit de toute son habileté l'ancien président du Conseil ait réussi à arracher à l'Allemagne l'abandon, voire la simple neutralisation, de l'Alsace-Lorraine.

Dans les milieux politiques français le malaise s'accroît Un obscur député du nom de Turmel est arrêté pour avoir importé de Suisse, sans justification valable, des sommes considérables. On entrevoit d'autres corrompus et l'opinion soupçonne le gouvernement de ne mettre aucun empressement à les démasquer. Dans *L'Homme enchaîné*, Clemenceau redouble ses attaques et, au début d'octobre, Léon Daudet, co directeur de *L'Action française*, adresse au président de la République une lettre accusant catégoriquement de trahison l'ancien ministre de l'Intérieur, Malvy. Cette lettre ayant été diffusée, *L'Action française* voit sa publication suspendue pendant huit jours.

En butte à l'hostilité à la fois de la droite et des socialistes, le cabinet Painlevé vacille. Au cours d'une séance tenue le 16 octobre en comité secret, le président du Conseil et le ministre des Affaires étrangères s'entendent durement reprocher ce que les interpellateurs nomment leur coupable indécision. Painlevé croit s'affermir en sacrifiant Ribot et en le remplaçant au Quai d'Orsay par Louis Barthou. Médiocre calcul. D'évidence les jours du gouvernement sont comptés et un nom est de plus en plus prononcé comme étant celui de l'homme de l'heure : George Clemenceau.

Tandis que les couloirs du Parlement fermentent, un brillant succès emporté sur le front vient quelque peu rasséréner l'opinion : entre le 23 et le 26 octobre, après une massive préparation d'artillerie, la VIe armée française emporte, au nord de Soissons, la plus grande partie du Chemin des Dames et fait près de 12 000 prisonniers. Par cette opération relativement peu coûteuse en hommes, Pétain a voulu effacer, aux yeux des troupes, le souvenir du sanglant échec subi le 16 avril dans la même région.

Mais voici qu'à l'est un événement est sur le point d'éclater qui, bien qu'il soit impossible d'en mesurer aussitôt l'immense portée, constituera un des grands tournants de l'Histoire universelle : le 6 novembre, commence la deuxième et majeure Révolution russe.

CHAPITRE VII

RÉVOLUTION BOLCHEVIQUE
ET RUÉES ALLEMANDES

DÉCOMPOSITION FINALE DE L'ARMÉE RUSSE. ‖ LES BOLCHEVIKS S'EMPARENT DU POUVOIR. ‖ LES ITALIENS DÉFAITS A CAPORETTO. ‖ CLEMENCEAU APPELÉ A DIRIGER LE GOUVERNEMENT FRANÇAIS. SA VOLONTÉ DE GUERRE A OUTRANCE. RÉPRESSION DU DÉFAITISME. INCARCÉRATION DE CAILLAUX. L'OPPOSITION MATÉE. ‖ DÉFECTION RUSSE. LES BOLCHEVIKS CONCLUENT AVEC L'ALLEMAGNE LA PAIX DE BREST-LITOVSK. ‖ CAPITULATION DE LA ROUMANIE. ‖ UN MOTIF DE RÉCONFORT : LES AMÉRICAINS DÉBARQUENT. ‖ LE PRÉSIDENT WILSON ET SES « QUATORZE POINTS ». ‖ VICTORIEUSE OFFENSIVE ALLEMANDE A LA CHARNIÈRE DES FORCES FRANÇAISES ET BRITANNIQUES. ELLE DÉTERMINE TARDIVEMENT LES ALLIÉS A CRÉER L'UNITÉ DE COMMANDEMENT. FOCH GÉNÉRAL EN CHEF. ‖ RÉTABLISSEMENT PROVISOIRE DE LA SITUATION MILITAIRE. ‖ GRÈVES POLITIQUES EN FRANCE. ‖ INSTAURATION EN RUSSIE DE LA DICTATURE DU PROLÉTARIAT. RÉSISTANCES OPPOSÉES. ‖ POLÉMIQUE CLEMENCEAU-CZERNIN. ‖ LA MONARCHIE AUSTRO-HONGROISE CONDAMNÉE. ‖ NÉCESSITÉ POUR L'ALLEMAGNE D'OBTENIR RAPIDEMENT LA DÉCISION MILITAIRE. ‖ NOUVELLE OFFENSIVE ALLEMANDE CONTRE LE FRONT FRANÇAIS. PARIS MENACÉ. ‖ RÉSULTATS TACTIQUES CONSIDÉRABLES, RÉSULTATS STRATÉGIQUES NULS. ‖ DERNIÈRE OFFENSIVE ALLEMANDE. ELLE EST REPOUSSÉE. ‖ VICTORIEUSE CONTRE-OFFENSIVE FRANÇAISE. ‖ LA VICTOIRE A CHANGÉ DE CAMP.

DEPUIS l'échec de l'offensive déclenchée sur les adjurations de Kerensky, le front russe a achevé de se décomposer. Refus général d'obéissance, divisions désertant en masse, massacres d'officiers : on a vu disparaître les dernières forces pouvant s'opposer, autrement que sporadiquement, soit à la poussée de l'ennemi, soit à une nouvelle et plus radicale révolution intérieure.

Au début de juillet 1917 le Soviet de Pétrograd, appuyé par les ouvriers des usines et par un régiment d'infanterie, a fait une tentative pour s'emparer du pouvoir ; le gouvernement provisoire a été sauvé par les Cosaques de la garnison et Lénine — qui d'ailleurs avait estimé l'affaire prématurée — a été contraint de se réfugier en Finlande.

Échec temporaire. Le parti bolchevique désormais en majorité au Soviet central dispose d'un avantage redoutable : il promet la paix et le partage des terres immédiats tandis que le gouvernement provisoire ne les fait entrevoir qu'à terme.

Pour donner un fondement légal à son autorité, ce gouvernement décide qu'il sera procédé, le 6 décembre, à l'élection d'une Assemblée constituante. Rentré secrètement de Finlande, Lénine déclare à ses fidèles que le parti, qui ne compte que 240 000 inscrits et n'est bien organisé que dans les grands centres, ne saurait affronter l'aléa d'un scrutin, et il ajoute :

« Dans ces conditions, attendre est un crime... Les bolcheviks doivent prendre le pouvoir sur-le-champ... La victoire est assurée, personne ne résistera. »

Quelques jours plus tard, le 8 octobre, il écrit :

« Une fois l'insurrection commencée, on devra agir avec le maximum de décision... Tâcher de surprendre l'ennemi, saisir le moment où ses troupes seront dispersées, combiner nos forces principales... de manière que soient immédiatement occupés et conservés, au prix de n'importe quelles pertes, les centraux téléphoniques, le télégraphe, les gares, les ponts. »

Les préparatifs se font au grand jour. Le 3 novembre, Lénine, dans un article intitulé *Lettre aux camarades*, lance un appel aux armes; le 4 la garnison de Pétrograd, Cosaques compris, vote une résolution par laquelle elle s'engage à appuyer l'insurrection ; le 6, tandis qu'un Congrès général des Soviets se réunit à l'Institut Smolny, Lénine donne l'ordre définitif d'exécution. Au cours de la nuit suivante son principal lieutenant, Trotsky, fait occuper tous les points stratégiques de la capitale cependant qu'un croiseur insurgé tient sous le feu de ses canons le Palais d'Hiver, siège du gouvernement ; le 7, celui-ci est déclaré dissous, Kerensky s'enfuit, les cadets des écoles militaires, derniers défenseurs du Palais d'Hiver, sont taillés en pièces et le

Congrès des Soviets élit un « Conseil des commissaires du peuple » dont la présidence est conférée à Lénine. La révolution est faite.

Faite à Pétrograd et aussi à Moscou où le mouvement a été sur-le-champ suivi. Mais comment réagiront les provinces ? Le nouveau pouvoir n'a ni armée disciplinée, ni argent, ni moyens de liaison assurés... Inspirés par Lénine, les commissaires du peuple ont l'habileté de publier une série de proclamations mettant toutes les propriétés rurales importantes à la disposition des soviets paysans, transférant le contrôle des usines aux soviets ouvriers et surtout annonçant l'ouverture immédiate de pourparlers de paix.

L'effet escompté se produit, et les masses populaires donnent au coup de force une adhésion au moins passive. Certes, des îlots de résistance se constituent autour de certains généraux, les provinces lointaines n'obéissent guère aux instructions émanées de Pétrograd, et la riche Ukraine va jusqu'à se proclamer république indépendante. C'est plutôt l'anarchie qu'un ordre socialiste qui se substitue à l'ordre capitaliste : celui-ci n'en est pas moins frappé à mort.

Les alliés de la Russie ne distinguent point l'immense portée de l'événement et Poincaré n'y fait, dans ses notes quotidiennes, qu'à peine allusion. Toutefois les porteurs de fonds russes se demandent s'ils continueront à toucher le montant de leurs coupons ; le gouvernement va les rassurer en déclarant que le Trésor français prendra provisoirement les arrérages à sa charge.

En cet automne 1917 la grande cause d'alarme vient de la défaite que l'armée italienne, violemment attaquée par les Austro-Hongrois, a subie les 25 et 26 octobre à Caporetto. Défaite écrasante à la suite de laquelle les Italiens ont reflué en désordre de l'Isonzo au Tagliamento, puis à la Piave, laissant l'ennemi s'emparer de la moitié de leur artillerie et faire 293 000 prisonniers. L'Italie va-t-elle être mise hors de cause ?

Après accord avec le gouvernement de Rome, quatre divisions françaises sont dirigées sur la péninsule. Quatre divisions anglaises suivent. Quand ces forces (portées bientôt à douze divisions au total) arrivent sur place, elles trouvent les Italiens en voie de se ressaisir. L'aide alliée et les conseils de Foch achèvent le redressement. Le

10 novembre, on peut penser que la ligne de la Piave sera tenue.

Caporetto a considérablement raffermi le moral austro-hongrois. Quelles que soient encore les appréhensions de l'empereur Charles, il n'en laisse plus rien paraître et tout espoir sérieux de détacher la Double Monarchie de son alliée allemande doit être abandonné.

En revanche, l'événement a amené les Alliés à prendre une décision utile : celle de créer un « Conseil suprême » franco-anglo-italien chargé de la « conduite générale de la guerre » sur le front ouest. Composé des chefs des trois gouvernements, il doit se réunir à intervalles rapprochés ; pour l'éclairer en matière technique un « Comité militaire permanent » est institué qui siégera à Versailles.

Premier pas, sinon vers l'unité de commandement, au moins vers la coordination des commandements.

A Paris, sous l'afflux des fâcheuses nouvelles, les milieux politiques sont plus que jamais en effervescence et le cabinet Painlevé agonise. Le 13 novembre, sur un incident mince en soi, il est renversé. C'est le premier des gouvernements de guerre qui tombe à la suite d'un vote hostile de la Chambre, les précédents s'étaient spontanément démis.

A qui confier le fardeau du pouvoir ?

Les pacifistes avoués (ils ne sont guère nombreux) ou timides (ils le sont davantage) prononcent le nom de Viviani, sachant que derrière Viviani se profilerait Caillaux, l'homme de la négociation pour une paix de compromis. Mais c'est d'un tout autre côté que se tourne une majorité parlementaire qui, écrasée sous le poids de ses responsabilités, aspire obscurément à en être déchargée : c'est du côté de Clemenceau.

Clemenceau, dont, pendant les premières années de la guerre, les polémiques avaient souvent paru injustes et inutilement passionnées, a beaucoup grandi au cours des derniers mois. Son action comme président de la commission sénatoriale de l'Armée l'a fait estimer par les plus intelligents des chefs militaires, et la véhémence avec laquelle il a dénoncé, non seulement la trahison mais le laisser-aller, lui a conquis l'admiration de la majeure partie de l'opinion.

Seuls, avec les amis personnels de Caillaux, les socialistes et la C. G. T. lui restent irréductiblement opposés.

C'est au chef de l'État qu'appartient la décision.

Poincaré n'a aucune raison d'aimer Clemenceau qui, avant la guerre, a tout fait pour l'empêcher de pénétrer à l'Élysée et qui, depuis, n'a cessé de l'attaquer, voire de le ridiculiser. Mais, quand il estime en jeu l'intérêt de la patrie, le président sait s'élever au-dessus des considérations personnelles.

Dès le 18 octobre, il notait :

« Clemenceau me paraît désigné par l'opinion publique parce qu'il veut aller jusqu'au bout dans la guerre et dans les affaires judiciaires ; je n'ai pas le droit, dans ces conditions, de l'écarter seulement à cause de son attitude envers moi. »

Dans la matinée qui suit la chute de Painlevé il fait mander le « Tigre ». Celui-ci arrive enjoué, plein d'entrain. La conversation ne s'engage pas à fond. On parle des généraux et notamment de Pétain que Clemenceau juge « le meilleur de nos chefs quoique avec des partis pris de complaisance et de camaraderie, des idées quelquefois un peu fausses, quelquefois de fâcheuses paroles de pessimisme et de découragement ». On parle aussi de Caillaux qu'à l'étonnement de son interlocuteur Clemenceau se refuse à condamner *hic et nunc*. Quelques propos relatifs aux Américains et on se sépare presque cordialement.

Dans l'après-midi, après réflexion et consultations, Poincaré charge officiellement Clemenceau de constituer le gouvernement.

Le 16 novembre ce gouvernement est sur pied. Son chef a pris pour lui le portefeuille de la Guerre ; il a confié celui des Affaires étrangères à son fidèle Stéphen Pichon, celui de la Marine au laborieux et compétent Georges Leygues, celui de l'Intérieur à Pams, l'ancien concurrent de Poincaré à la présidence de la République, celui du Blocus à Jonnart ; Klotz a été maintenu aux Finances, Loucheur à l'Armement et Clémentel au Commerce. Les autres ministres sont surtout recommandables pour leur docilité. Aucun socialiste n'a accepté de faire partie de la combinaison.

Le 19 novembre, présentation à la Chambre. Ses soixante-seize ans ont voûté Clemenceau et ont alourdi son pas ;

mais son geste est toujours tranchant, sa voix bien timbrée et son masque jauni reste percé, sous des sourcils broussailleux, par deux yeux de braise. A peine est-il monté à la tribune qu'il domine son auditoire.

Ayant assujetti son lorgnon, le voici qui lit, en martelant les mots, la déclaration gouvernementale :

« Nous nous présentons devant vous dans l'unique pensée d'une guerre intégrale... Un seul devoir et simple : demeurer avec le soldat, vivre, souffrir, combattre avec lui, abdiquer tout ce qui n'est pas de la patrie. L'heure nous est venue d'être uniquement Français, avec la fierté de nous dire que cela suffit. Il y a eu des fautes, n'y songeons plus que pour les réparer. Il y a eu aussi des crimes... Nous prenons l'engagement que justice sera faite selon la rigueur des lois... L'abnégation est aux armées. Que l'abnégation soit dans tout le pays... »

Et la péroraison :

« Un jour, de Paris au plus humble village, des rafales d'acclamations accueilleront nos étendards vainqueurs, tordus dans le sang, dans les larmes, déchirés des obus, magnifique apparition de nos grands morts. Ce jour... il est dans notre pouvoir de le faire. Pour des résolutions sans retour, nous vous demandons, messieurs, le sceau de votre volonté ! »

Sur tous les bancs, hors les bancs socialistes, les applaudissements crépitent.

Confiance votée par 418 voix contre 65. L'ardeur jacobine de Clemenceau, sa conviction brûlante ont conquis les cœurs de ceux mêmes qui se souviennent de ses erreurs passées et redoutent pour l'avenir les effets de son impulsivité. Incarnation de la France combattante, il est désormais le maître, un maître exigeant, ombrageux, parfois fantasque, mais efficace. Après tant d'hésitations, de tergiversations, c'est un soulagement. L'évidence s'impose : puisqu'on a choisi de faire la guerre « jusqu'au bout », nul aussi bien que le « Tigre » ne la saurait mener.

Clemenceau d'ailleurs se défend de vouloir exercer une dictature. Il respectera les formes parlementaires, comparaîtra parfois devant les commissions de la Chambre ou du Sénat, relâchera un peu les sévérités de la censure et ne demandera latitude de légiférer par décrets qu'en matière économique. Seulement la haute administration sera épurée, il ne sera plus tenu de séances secrètes des Chambres, le Conseil des ministres ne se réunira guère qu'une fois par semaine, le cabinet de guerre restreint constitué au sein du ministère tombera en sommeil, le président de la République ne sera mis au courant des affaires qu'à intervalles de plus en plus espacés. Généralement cordial, souvent brusque, le chef du gouvernement ne prendra pas conseil et ne souffrira point la contradiction. Mais son ascendant sera tel que peu oseront paraître s'en offusquer.

Conformément aux engagements qu'il a pris il s'emploie d'abord, non seulement à démasquer et châtier les trahisons, mais à mettre fin aux manœuvres pacifistes, voire à la simple nonchalance.

Quatre mois avant son accession au pouvoir, il a devant le Sénat accusé Malvy d'avoir « trahi les intérêts de la France ». Se jugeant menacé, l'ancien ministre de l'Intérieur prend les devants et, le 22 novembre, demande lui-même à la Chambre de le mettre en accusation devant le Sénat constitué en Haute Cour où il se pourra justifier. Requête anormale à laquelle il est pourtant fait droit. Mais, aucune procédure n'étant prévue par la loi, il faudra attendre 1918 avant que la comparution puisse avoir lieu. La Haute Cour créera un délit non prévu par la loi et condamnera Malvy, pour « forfaiture », à l'exil.

Malvy n'est qu'un politicien rusé ; aux yeux de Poincaré la véritable cheville ouvrière du défaitisme, c'est Caillaux.

Les charges positives pesant sur l'ancien président du Conseil sont, à vrai dire, assez vagues. Propos imprudents, pessimisme affiché, outrecuidance, contacts suspects. Défaitisme ? Si l'on veut. Bien plutôt préférence donnée à la paix, même médiocre, sur la guerre, même victorieuse. Poincaré n'en considère pas moins Caillaux comme un traître au sens propre du mot et le voudrait voir déféré à un conseil de guerre. Plus humain ou plus sceptique, Clemenceau se contente de la Haute Cour. Tant est grand son prestige que, le 22 décembre, l'autorisation de poursuites est votée à l'énorme majorité de 327 voix contre 8. Les socialistes eux-mêmes n'ont fait que s'abstenir.

Le 14 janvier 1918, Caillaux sera incarcéré à la prison de la Santé. Aux premiers chefs d'accusation on joindra celui de « complot contre la sûreté de l'État » quand aura été découvert, dans un coffre-fort de Florence, un document où l'ancien président du Conseil esquissait un plan de réforme autoritaire de la Constitution. L'instruction sera longue, et le jugement — jugement de condamnation relativement mitigée — n'interviendra qu'au début de 1920.

Cependant, les vrais traîtres ne sont pas oubliés. Les arrestations se multiplient et les conseils de guerre sont invités à se hâter d'en terminer avec les affaires en cours. Bientôt Bolo, Duval et la danseuse Mata Hari seront passés par les armes.

C'est le sous-secrétaire d'État à la Justice militaire, Ignace, qui est chargé de surveiller cette besogne de répression. A la différence de Poincaré qui se passionne pour elle, Clemenceau la considère de haut et n'y voit qu'une des nécessités de sa politique générale. Sa pensée à cet égard s'exprime dans un discours dont la péroraison est destinée à rester fameuse :

« Un seul but : maintenir le moral du peuple français à travers une crise qui est la pire de son Histoire... Ma politique étrangère et ma politique intérieure, c'est tout un. Politique intérieure : je fais la guerre. Politique extérieure : je fais la guerre. Je fais toujours la guerre ! »

A l'intérieur, succès complet. Convaincus ou apeurés, les mécontents se taisent, les officieux cessent leur bourdonnement, les hésitants affectent la fermeté. Les chefs syndicalistes eux-mêmes, en principe violemment hostiles à Clemenceau, ne se refusent pas à tout contact avec lui et Jouhaux, le secrétaire général de la C. G. T., le voit fréquemment. Seul, Merrheim décline ses invitations ; l'animateur de la Fédération des Métaux n'en met pas moins, au Congrès intersyndical qui se tient à Clermont-Ferrand à la fin de décembre, une sourdine à sa véhémence habituelle et accepte de voter une motion d'unanimité qui, tout en préconisant une paix sans annexion, ne comporte aucun appel révolutionnaire. Aussi bien, le gouvernement a-t-il pris des dispositions pour, au besoin, réprimer par la force toute agitation ouvrière qui viendrait à se produire : quatre divisions de cavalerie campent dans les zones industrielles de Paris, Rouen, Orléans, Tours et

Saint-Étienne ; elles n'auront d'ailleurs pas l'occasion d'intervenir.

L'opposition est matée ; « les civils tiennent ».

Il faut ce durcissement moral pour que le pays reçoive sans faiblir les nouvelles qui lui viennent de Russie.

La grande alliée, dans laquelle on a mis tant d'espérance et à qui on a prêté tant d'argent, se retire décidément de la lutte.

Dès le 21 novembre, le Conseil des commissaires du peuple a avisé les gouvernements de Paris et de Londres de son intention d'ouvrir des négociations immédiates avec les Empires centraux et les a invités à y participer. La réponse des Alliés n'a pas été envoyée au gouvernement bolchevique mais au G. Q. G. russe : toute tentative de paix séparée constituerait une violation des engagements pris par le pacte du 5 septembre 1914.

Les commissaires du peuple ont passé outre et, le 26 novembre, une demande d'armistice a été adressée aux Hauts Commandements allemand et autrichien.

L'acceptation a été donnée dans les vingt-quatre heures, le « cessez-le-feu » a été immédiat, et le 15 décembre une convention provisoire est signée à Brest-Litovsk.

Le 20, les négociations de paix proprement dites s'engagent au même lieu entre les plénipotentiaires russes Joffe et Kamenev d'une part, les ministres allemand et autrichien des Affaires étrangères Kühlmann et Czernin, de l'autre. Ces négociations sont difficiles. Plusieurs fois interrompues, elles n'aboutiront que le 3 mars 1918 par l'abandon aux Empires centraux de la Pologne russe, de la Lituanie et des provinces baltiques, l'indépendance de la Finlande et de l'Ukraine étant d'autre part reconnue. Ce sera la soumission complète des Soviets.

Dès la fin de 1917 on peut prévoir cette soumission car la Russie est d'évidence hors d'état de reprendre la lutte. On peut prévoir en même temps que la Roumanie ne tardera pas à être, elle aussi, contrainte à la capitulation.

Depuis leur victoire de décembre 1916, les troupes germano-autrichiennes occupent Bucarest et toute la Valachie. Mais la Moldavie, c'est-à-dire la partie orientale du royaume, est restée libre et le gouvernement s'est installé à Iassy. Une mission militaire française dirigée par le général Berthelot a réorganisé les troupes roumaines que sont venues épauler des forces russes.

Depuis plusieurs mois malheureusement ces forces ne constituent plus qu'un facteur de démoralisation. Quand commencent les négociations de Brest-Litovsk, le gouvernement roumain constate que la route russe par où lui parvenait le matériel d'origines française et anglaise va être interdite. Jugeant la partie perdue, le roi Ferdinand, en dépit des objurgations de Paris et de Londres, se prépare à demander l'*aman*. Le traité de Bucarest qui sera signé le 7 mai 1918 fera perdre à la Roumanie son indépendance économique.

**

L'effondrement de la Russie et de la Roumanie rendent disponible une partie des effectifs que les Empires centraux entretenaient à l'est. D'autre part, bien que les Italiens soient parvenus à se maintenir sur la Piave, ils se déclarent hors d'état d'entreprendre une offensive avant plusieurs mois. Enfin, en dépit de l'entrée de la Grèce dans le camp des Alliés, l'armée de Salonique reste bloquée et le général Sarrail, qui est en mésintelligence avec les Britanniques, ne fait rien pour la sortir de sa passivité.

Le front occidental va à coup sûr subir une pression accrue et déjà les renforts ennemis commencent à y affluer. Les craintes formulées par Foch et dont Lloyd George a dénoncé le prétendu pessimisme se vérifient presque point par point : bientôt les Allemands auront à l'ouest 192 divisions d'infanterie, tandis que les Alliés n'en pourront aligner que 172 : 99 françaises, 58 britanniques, 10 belges, 3 américaines, 2 portugaises. (L'armée française du front ouest compte alors environ 2 800 000 combattants ; l'armée de Salonique en compte 240 000 ; malgré la montée en ligne de la classe 1918, le commandement a de la peine à maintenir ces effectifs et Pétain envisage de réduire le nombre des divisions.)

Dans ce ciel noir on distingue pourtant quelques promesses d'éclaircie : les fabrications de canons, de munitions, d'obus toxiques et d'avions se poursuivent sur un rythme de plus en plus rapide ; l'offensive sous-marine allemande a décidément échoué et l'importance du tonnage allié coulé chaque mois ne cesse de décroître ; l'attaque que les Britanniques ont, le 20 novembre, déclenchée dans la région de Cambrai en faisant pour la première fois utilisation massive de chars d'assaut, a démontré l'efficacité de ces engins de guerre dont l'adversaire est mal pourvu ; enfin et surtout s'il n'est encore arrivé en France que 150 000 soldats américains (d'ailleurs toujours à l'entraînement), on espère qu'au mois de mai il y en aura 500 000 et 1 million en juillet. Perspective qui contribue au plus haut point à rassurer le commandement, les combattants et la nation française tout entière.

Quand débute l'année 1918, on peut se douter que l'Allemagne, pressée par le blocus et menacée de famine, ne tardera pas à faire un effort surhumain pour forcer la victoire avant la massive entrée en ligne des Américains.

En face, quels sont les plans militaires de l'Entente ?

Encore bien imprécis. Pétain, toujours ménager du sang français, voudrait que jusqu'à 1919 — année où l'armée américaine comptera plus de 2 millions de combattants — on se bornât à des attaques limitées dans leurs objectifs. Le commandant en chef anglais, Douglas Haig, incline dans le même sens. Enchérissant, le premier ministre Lloyd George demande que l'on s'en tienne, sur le front de France, à une attitude purement défensive et que tout les coups soient réservés au Proche-Orient. Au contraire, Foch souhaiterait que l'on livrât dès l'année en cours la « bataille pour vaincre », avec, comme conditions préalables, la fixation des réserves ennemies et la surprise. Clemenceau, son tempérament l'entraînant vers Foch et sa sympathie raisonnée vers Pétain, demeure hésitant.

En attendant que parti soit pris, le Comité militaire permanent de Versailles, où Weygand représente le commandement français, s'épuise à comparer des projets divergents.

L'unité de vues diplomatiques fait autant défaut que l'unité de commandement et les buts de guerre de l'Entente sont toujours mal définis. Sans doute le gouvernement britannique s'affirme-t-il résolu à soutenir « jusqu'à la mort » la France dans sa revendication sur l'Alsace-Lorraine et les deux puissances sont-elles d'accord pour exiger la libération de la Belgique. Mais *quid* de la Rhénanie ? *Quid* de la Pologne ? *Quid* du sort futur de l'Autriche-Hongrie et de l'Empire ottoman ? La débâcle russe a mis à néant bien des plans et tout reste fort vague.

Le 8 janvier 1918, le président Woodrow Wilson prend *proprio motu* (rappelons que les États-Unis sont les « associés », non les alliés, des puissances de l'Entente) une initiative destinée à avoir un long retentissement.

Dans un message au Congrès, il pose, en quatorze points, les bases qui devraient être, selon lui, celles d'une « paix juste et durable ». Ce message, marqué au sceau d'un idéalisme puritain, proclame la nécessité d'en finir avec la diplomatie secrète, se prononce en faveur de la suppression des barrières économiques et de la réduction des armements moyennant « garanties efficaces » ; il préconise un règlement des questions coloniales « dans un esprit large et absolument impartial », réclame l'« absolue liberté de navigation sur mer », demande enfin la fondation d'une Société des Nations destinée à « procurer à tous les États, grands et petits, des garanties mutuelles d'indépendance politique et d'intégrité territoriale ».

Les accords antérieurement passés entre les « associés » des États-Unis, en particulier les promesses faites à l'Italie, sont ignorés. Le message présidentiel se montre toutefois catégorique au sujet du retour de l'Alsace-Lorraine à la France, de la pleine indépendance de la Belgique et de la constitution d'un État polonais souverain. Il est moins net à l'égard des problèmes balkaniques, turcs et austro-hongrois, se bornant à affirmer nécessaires des règlements territoriaux « sur la base des différences de nationalités que l'histoire a créées » ; visiblement le président souhaiterait, tout en donnant certaines satisfactions aux aspirations des Slaves et des Arabes, ne pas pousser au désespoir les gouvernements de Vienne et de Constantinople.

Tel quel le message du 8 janvier est accueilli avec faveur par les puissances de l'Entente. Les chancelleries font bien *in petto* quelques réserves mais ne les manifestent point. Le gouvernement italien se contente de se taire tandis que les gouvernements français et britannique publient de brèves déclarations approbatives. Ce ne sera que lors de la discussion des traités de paix que l'on s'apercevra de tous les litiges contenus en puissance dans les « quatorze points ».

Cependant l'hiver est déjà largement entamé et les chefs militaires s'inquiètent de l'absence de plans coordonnés.

Les 1er et 2 février, un Conseil suprême se tient à Versailles au cours duquel les idées de Foch sont en principe approuvées sans qu'aucune date soit fixée pour passer à leur exécution. On décide en même temps la constitution d'une « Réserve générale interalliée » qui sera mise à la disposition d'un « Comité exécutif » présidé par Foch. Système boiteux qui ne réalise point la si désirable unité de commandement.

Il ne fonctionne pas : les résistances des différents commandants en chef empêchent la Réserve générale d'être formée, et le « Comité exécutif » tombe bientôt en léthargie. Clemenceau ne paraît guère s'en soucier. Ses nombreuses visites au front, où il est fort populaire, lui montrent que le moral du soldat français est redevenu excellent ; il a confiance en Pétain qui lui-même a confiance en Haig ; il entretient avec Lloyd George et avec Orlando, le nouveau premier ministre italien, d'excellentes relations : cela pour le moment lui semble suffire.

Les Allemands vont se charger de démontrer que cela ne suffit pas.

*
* *

Le 21 mars 1918 — dix-huit jours auparavant la paix de Brest-Litovsk a définitivement scellé la défection russe — 65 divisions d'infanterie allemandes s'élancent à l'assaut des positions britanniques sur un front de soixante kilomètres s'étendant de la Scarpe à l'Oise.

Nos alliés sont pris au dépourvu. Si au nord l'armée du général Byng, après avoir légèrement cédé, parvient à s'accrocher au terrain, au sud l'armée du général Gough se replie précipitamment. A l'appel pressant de Haig, Pétain jette 6 divisions françaises au secours de nos alliés, il en promet 20 autres prises sur les réserves et accepte d'assurer, de l'Oise à la Somme, la défense du front en péril.

Le 23, l'armée Gough se voit contrainte à un nouveau recul et sa cohésion semble menacée. Il est désormais clair que l'ennemi se propose, en marchant droit sur Amiens, d'enfoncer un coin entre les forces britanniques et les forces françaises.

Les deux généraux en chef font-ils tout pour éviter cette rupture ? Non. Tandis que Haig semble se désintéresser d'Amiens et ne songer qu'à sauver ses communications avec les ports de la Manche, Pétain se refuse à opérer de nouveaux prélèvements sur ses armées et se préoccupe avant tout de couvrir Paris qu'une pièce allemande à longue portée, de type inédit, commence à bombarder. (Les Parisiens donneront à cette pièce un sobriquet : « la grosse Bertha ».)

Heures d'angoisse. L'ennemi occupe Ham, Péronne et marche sur Amiens. Une partie des forces britanniques est en désarroi. Dissentiments entre les grands chefs alliés. Le 24 au matin, Clemenceau déclare à Poincaré que le gouvernement va peut-être être obligé de quitter la capitale. Foch est le seul à avoir conservé tout son sang-froid, mais il insiste sur la nécessité immédiate d'établir l'unité de commandement.

A Londres l'inquiétude n'est pas moins grande et le général Sir Henry Wilson, chef de l'État-major impérial, écrit : « Nous sommes à la veille d'un effondrement. »

Le cabinet dépêche en France un de ses membres importants, Lord Milner, avec des pouvoirs étendus. Le général Wilson s'y précipite de son côté.

Le 25, deux conférences simultanées ont lieu, l'une à Abbeville entre Weygand, Haig et Wilson, l'autre à Compiègne à laquelle participent Clemenceau, Foch, Pétain et Milner. Au cours de la première, Haig déclare nettement que, faute d'un appui français plus complet et plus rapide, il rompra en retraite vers le Pas de Calais. Au cours de la seconde, il apparaît que le gouvernement britannique, pour obtenir un tel appui, est prêt à de grands sacrifices d'amour-propre. L'unité de commandement sous un chef français est désormais dans l'air.

Le soir, le général Wilson se rend à Paris, y voit Clemenceau, puis Foch et suggère que le premier soit nommé généralissime des armées alliées, le second devenant son « conseiller technique ». Combinaison bizarre que Foch repousse en disant qu'elle n'atteindrait pas le but visé.

Le 26 à midi, une nouvelle et plus solennelle réunion se tient à la mairie de Doullens. Sont présents : du côté français, Poincaré, Clemenceau, le ministre de l'Armement Loucheur, Foch, Pétain et Weygand ; du côté anglais, Milner, Haig, Wilson et deux autres généraux anglais. On entend le grondement des canons allemands qui bombardent Amiens.

Haig, puis Pétain exposent brièvement la situation militaire. La parole est alors à Foch. En quelques phrases hachées le général déclare que la perte d'Amiens et la rupture entre les armées alliées doivent être évitées à tout prix, dût-on pour cela dégarnir dangereusement d'autres parties du front.

« Il ne faut plus reculer, conclut-il, c'est un principe à asseoir, à faire connaître, à appliquer coûte que coûte. »

L'impression est profonde. « Si le général Foch consentait à me donner des avis, je les suivrais bien volontiers », déclare Haig. Sur un coin de table Clemenceau griffonne un papier et le remet aux Britanniques qui tiennent un court aparté. On entend Haig, dont le retournement est complet, insister pour que Foch reçoive des pouvoirs plus étendus que ceux proposés par le chef du gouvernement français. Le projet est modifié en conséquence et adopté dans sa forme définitive :

Le général Foch est chargé par les gouvernements britannique et français de coordonner l'action des armées alliées sur le front ouest. Il s'entendra à cet effet avec les généraux en chef qui sont invités à lui fournir tous les renseignements nécessaires.

C'est, ou à peu près, l'unité du commandement.

« Je connais un général qui est très content, gouaille Clemenceau, il a enfin trouvé sa situation.

— Vous me la baillez belle, réplique l'autre, vous me donnez une bataille perdue et c'est tout ce que vous trouvez à me dire. »

Après un bref déjeuner, Foch, accompagné de Weygand qu'il a aussitôt pris comme major-général, se rend au quartier général de Gough et adjure ce dernier de tenir à tout prix.

Au cours des jours suivants il voit successivement tous les chefs des armées engagées, leur répétant inlassablement :

« Il n'y a plus un mètre à perdre... On doit arrêter l'ennemi là où il est... Pas de recul, pas de relèves... Il faut tenir, tenir, durer, durer. »

L'énergie est contagieuse. A tous les échelons la confiance renaît. C'est en vain que l'ennemi, pour élargir la brèche entre les forces britanniques et les forces françaises, déclenche deux violentes attaques, l'une vers l'ouest,

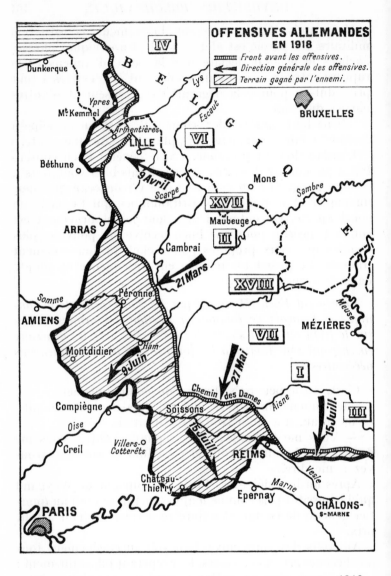

OFFENSIVES ALLEMANDES EN FRANCE, MARS-JUILLET 1918

l'autre vers le sud-ouest : il parvient à s'emparer de Montdidier, mais n'atteint pas Amiens et reste loin de Compiègne. A Paris, le début d'affolement n'a pas eu de suite ;
ni les bombes jetées par des avions allemands, ni l'obus

lancé par la « grosse Bertha », qui le Vendredi saint 29 mars écrase l'église Saint-Gervais et tue quatre-vingt-dix fidèles, n'ébranlent le moral de la population.

Le 30, devant la résistance maintenant opiniâtre des Franco-Britanniques, l'offensive ennemie se ralentit ; six jours après elle cesse ; elle a permis aux Allemands d'avancer leurs lignes de soixante kilomètres et elle a entraîné la capture de 90 000 hommes, mais, statégiquement, elle a échoué.

Hindenburg et Ludendorff sont cependant loin de s'avouer battus. Dès le 8 avril ils déclenchent une nouvelle opération contre le front anglais, cette fois entre Armentières et La Bassée. L'objectif est de franchir la Lys, de réduire la hernie d'Ypres et, si possible, de pousser jusqu'aux ports de la Manche.

Au début, l'attaque remporte d'appréciables succès : les Portugais mal aguerris qui tenaient un secteur aux abords de la Lys sont bousculés, Armentières tombe. Après une pause, le mont Kemmel est conquis, Hazebrouck est menacé. « Nous avons le dos au mur », proclame Haig dans un ordre du jour, et Churchill, maintenant ministre des Munitions, accourt à Paris pour y solliciter toute l'aide française possible. Il reçoit pleine satisfaction. Appuyés par les Français, les Britanniques résistent avec ténacité, et, avant la fin d'avril, l'offensive est jugulée.

Foch a galvanisé les courages et aucun chef allié ne discute son autorité. Dès le 3 avril, les attributions qui lui avaient été conférées à Doullens ont été élargies et la « direction stratégique » de l'ensemble des opérations sur le front ouest lui a été formellement confiée (c'est spontanément que Pershing, commandant en chef américain, et que le roi Albert, chef constitutionnel de l'armée belge, ont accepté de recevoir ses instructions). Le 2 mai son autorité sera partiellement étendue au front italien. Le 16 il recevra le titre de « général en chef des armées alliées ».

Ces armées, après de durs moments, il finira par les mener à la victoire.

* * *

Si les événements militaires n'ont pas, dans l'ensemble, fait fléchir le moral des Français, il s'en faut pourtant que la situation intérieure soit uniformément calme ; au mois de mars des grèves ont éclaté dans les usines d'armement des régions de Paris, Lyon et Saint-Étienne et, en avril, près de 300 000 ouvriers ont cessé le travail. Mouvement spontané, que les chefs syndicalistes s'efforcent de calmer, que Clemenceau évite de heurter de front, mais qui ne cessera complètement qu'à la fin de mai.

Alors que les grèves des années précédentes avaient été suscitées par des questions de salaires, celles-ci ont des motifs en grande partie politiques : mécontentements suscités par les poursuites engagées contre quelques militants, renvoi au front des sursitaires des jeunes classes, exemple surtout donné par la Russie.

L'ampleur de la Révolution bolchevique commence en effet à être soupçonnée en France. On n'y a vu d'abord qu'une trahison à l'égard des Alliés ; on entr'aperçoit maintenant sa portée sociale.

Systématiquement organisée par Lénine la « dictature du prolétariat » s'installe dans une grande partie de l'ancien Empire des tsars. L'Assemblée constituante ne se réunit que pour se voir dissoute d'autorité, une redoutable police politique — la *Tchéka* — est créée, toutes les entreprises industrielles et commerciales, toutes les terres sont nationalisées et des mesures violentes sont prises contre les paysans qui refusent de livrer leurs produits aux prix taxés. L'ouvrier est le grand favori du régime ; il semble qu'il soit roi et cette royauté, d'autant plus prestigieuse qu'elle est mal connue, fait travailler bien des imaginations dans les usines françaises.

Depuis la conclusion de la paix de Brest-Litovsk, le gouvernement de Paris a rompu toutes relations officielles avec les Soviets. Voici maintenant qu'il se demande s'il ne devrait pas prendre ouvertement parti contre eux et prêter main-forte aux mouvements de résistance — résistance militare, résistance paysanne, résistance cosaque, résistance de la « légion tchèque » — qui se précisent en Russie ; en même temps qu'une mesure de défense sociale, il y aurait peut-être là une chance de reconstituer un « front oriental ».

Clemenceau souhaiterait que l'on encourageât les Japonais, qui viennent de débarquer à Vladivostok, à pousser plus avant en Sibérie et à donner la main aux généraux russes insurgés. A Londres, Churchill soutient énergiquement le projet. Mais à Washington le président Wilson se montre réticent. En attendant que parti soit pris, une petite force franco-britannique est maintenue à Mourmansk sur l'océan Glacial.

Sans briser avec le gouvernement bolchevique, l'Allemagne exploite à fond les avantages qu'elle s'est fait consentir à Brest-Litovsk. Ayant occupé l'Ukraine d'où elle espère tirer d'immenses approvisionnements, elle prépare l'annexion des pays baltes. Quant au gouvernement austro-hongrois, il travaille à la constitution d'un royaume polonais qui serait placé sous le sceptre d'un Habsbourg.

L'entente entre les gouvernements des Empires centraux est maintenant complète. Peut-être est-ce Clemenceau qui l'a cimentée par sa polémique avec Czernin, ministre austro-hongrois des Affaires étrangères.

Dans un discours prononcé le 2 avril, Czernin s'était flatté d'avoir repoussé une offre française de négociation. La riposte de Clemenceau a été cinglante : « Le comte Czernin a menti. » Et le ministre insistant, le « Tigre » a, le 12 avril, rendu publique la lettre secrète adressée en mars 1917 par l'empereur Charles au prince Sixte, lettre dans laquelle le souverain s'engageait à soutenir les « justes revendications » de la France sur l'Alsace-Lorraine.

C'est emporté par sa vieille passion antimonarchique, anticléricale et antihabsbourgeoise que Clemenceau s'est résolu à ce coup qui a fait l'effet d'une bombe. Charles a d'abord tenté de nier. Clemenceau s'est acharné sur lui et a publié une note méprisante : « Il y a des consciences pourries... » Czernin, qui avait toujours ignoré l'existence du document, s'est démis ; le malheureux empereur, après avoir songé à abdiquer, s'est humilié devant Guillaume II et a accepté de lier politiquement pendant douze années ses États à l'Allemagne.

Sans doute, lors de la publication de la lettre au prince Sixte, l'Autriche-Hongrie était-elle déjà en pratique asservie : les derniers espoirs qui pouvaient subsister de la détacher de son alliée n'en sont pas moins dissipés.

Du même coup, le sort de la Double Monarchie est scellé. N'ayant plus rien à ménager, les puissances de l'Entente donnent leur appui complet aux Tchèques, Polonais, Slovènes, Croates, Transylvains et Ruthènes qui aspirent à secouer complètement le joug des Habsbourg. Le gouvernement français lève un corps composé de réfugiés polonais et un autre formé de réfugiés tchécoslovaques. En Italie, les prisonniers de guerre d'origine tchèque sont enrôlés pour former une force de 24 000 hommes. L'Angleterre et les États-Unis fournissent des bateaux pour transporter éventuellement de Vladivostok en France la « légion tchèque » qui s'est constituée en Russie.

Il est désormais certain que la victoire des Alliés s'accompagnera de la dislocation de l'Autriche-Hongrie. On ne se demande pas si, à plus ou moins longue échéance, l'Allemagne ne s'en trouvera pas renforcée et si de nouvelles causes de conflit ne seront point suscitées.

La victoire des Alliés, une nouvelle offensive allemande va la rendre un moment douteuse.

L'Allemagne n'a pas trouvé en Ukraine toutes les céréales sur lesquelles elle comptait ; les puits roumains, en partie détruits, ne lui livrent qu'une quantité très insuffisante de pétrole ; les matières grasses, les textiles, le caoutchouc lui font presque totalement défaut et toute l'ingéniosité de ses chimistes ne parvient qu'à produire de médiocres *Ersatz*. La population civile est soumise à des restrictions alimentaires terriblement débilitantes et le soldat lui-même est mal nourri. Quant aux chevaux, il a fallu presque tous les abattre.

En outre, l'armée traverse une grave crise d'effectifs ; on ne sait plus comment combler ses vides, et les jeunes gens de dix-huit ans envoyés sur le front manquent de résistance. Çà et là la troupe donne des signes de mécontentement ; les marins de Kiel, rongés par l'inaction et touchés par la propagande bolchevique, ont esquissé une émeute.

Bref, en dépit de la mise hors combat de la Russie et de la Roumanie, en dépit des énormes acquisitions territoriales faites à l'est, le Grand État-major peut se demander si l'Allemagne ne sera pas bientôt au bout de ses forces. Dans un rapport à l'empereur, Hindenburg et Ludendorff déclarent que la décision doit, d'impérieuse nécessité, être obtenue avant le milieu de l'été.

Cette fois, c'est le front français qu'on va s'efforcer de

rompre avant de revenir au front britannique. Le secteur choisi est celui du Chemin des Dames, secteur calme depuis la fin de l'année précédente et assez faiblement défendu par 8 divisions françaises plus 3 anglaises mises là « en repos ». C'est en vain que, pressentant le danger, Pétain a donné l'alarme : Foch, qui croit à une offensive allemande entre Montdidier et Arras, s'est refusé à modifier le dispositif des armées.

Le 27 mai à l'aube, après une courte préparation d'artillerie, 30 divisions appartenant au groupe d'armées du *Kronprinz* allemand se lancent à l'attaque. En dépit des instructions de Pétain, la « défense élastique » a été mal préparée et les forces françaises reculent en désordre. Le soir, le Chemin des Dames a été emporté, l'Aisne franchie et la Vesle atteinte. Le 29, l'ennemi est à Soissons, le 30 il atteint la Marne, le 31 il s'infiltre au sud de la forêt de Villers-Cotterets, occupe Château-Thierry et n'est plus qu'à soixante-quinze kilomètres de la capitale.

Foch lance dans la bataille tout ce qu'il croit pouvoir prélever sur les autres secteurs et sur les réserves ; il fait en même temps monter en ligne plusieurs divisions américaines, mais il estime imprudent de donner satisfaction à toutes les demandes de Pétain. Celui-ci songe un moment, pour raccourcir le front, à prescrire une retraite générale et il avise Clemenceau que le gouvernement devra probablement quitter Paris : des dispositions sont prises pour l'évacuation des principales administrations.

Cependant, grâce à l'arrivée des renforts, la résistance s'est organisée. L'Allemand ne parvient ni à franchir la Marne ni à progresser dans la forêt de Villers-Cotterets. Le 4 juin, il suspend son offensive.

Le 9, il la reprend, plus au nord et en direction de Compiègne. Mais cette fois, il est repoussé par une contre-attaque que dirige le général Mangin. Le 11, Hindenburg arrête les opérations.

Tactiquement, elles ont, comme celles de mars et d'avril, abouti à un succès d'envergure : nouvelle avance de soixante kilomètres, 50 000 prisonniers capturés, 600 canons pris. Mais elles n'ont pas davantage entraîné la décision stratégique et l'armature des armées alliées reste intacte.

L'alerte n'en a pas moins été à Paris fort chaude. Beaucoup plus que deux mois auparavant, le Parlement s'est ému et nombre de ses membres ont réclamé la destitution de Foch comme de Pétain. Clemenceau, qui au cours des sombres journées n'a cessé de se maintenir en étroit contact avec les deux généraux, les a défendus énergiquement :

« S'il faut, s'est-il écrié à la tribune de la Chambre, pour obtenir certaines approbations, abandonner les chefs qui ont bien mérité de la patrie, c'est une lâcheté dont je suis incapable. N'attendez pas de moi que je la commette... J'affirme que la victoire dépend de nous... Il reste aux vivants à parachever l'œuvre des morts ! »

Sa résolution, sa foi contagieuse ont subjugué l'Assemblée En dépit des protestations de l'extrême gauche, la confiance a été votée par 377 voix contre 110.

Aussi bien, le pays ne s'est-il nullement abandonné. L'arrivée continue des Américains — lesquels entretiennent les meilleurs rapports avec les populations — maintient son moral à un niveau élevé ; l'avance allemande une fois stoppée, la croyance en la victoire finale ne rencontre en France plus guère de sceptiques.

***

Du côté allemand, en revanche, l'inquiétude gagne. Kühlmann, le secrétaire d'État aux Affaires étrangères, souhaiterait que, profitant de sa « carte de guerre », l'Allemagne négociât une paix qui, tout en lui laissant ses conquêtes à l'est, rétablirait à l'ouest le *statu quo ante bellum*. Le 24 juin, il prononce dans ce sens un discours devant le Reichstag. Mais le Haut Commandement n'admet pas que le Reich puisse renoncer à établir au moins un protectorat sur la Belgique. Il l'emporte et, le 8 juillet, Kühlmann, congédié par l'empereur, se voit remplacé par Hintze, créature du Grand État-major.

Hindenburg et Ludendorff sont décidés à faire un suprême effort. C'est le *Friedensturm*, la « ruée pour la paix victorieuse ». L'objectif final sera la destruction de l'armée britannique, mais auparavant les « seigneurs de la guerre » allemands entendent fixer l'armée française par une offensive déclenchée de part et d'autre de Reims et s'étendant à l'ouest jusqu'à la Marne.

Le 10 juillet, des renseignements précis dévoilent au commandement allié les intentions de l'adversaire. Foch dirige vers le front de Champagne toutes les réserves françaises disponibles plus quatre divisions britanniques et cinq américaines et il obtient le concours d'un corps d'armée italien ; en même temps, il prescrit à Mangin de préparer une contre-offensive ayant pour objet la reconquête des plateaux dominant Soissons. De son côté Pétain donne l'ordre aux généraux responsables des secteurs menacés de pratiquer strictement la défense dite « élastique » : occupation très légère de la première position et repli du gros des forces sur la deuxième. Le 14 juillet, tout est prêt.

Le soir du même jour, des prisonniers révèlent que l'attaque allemande sera lancée dans quelques heures. Aussitôt l'artillerie française ouvre un tir de contre-préparation. Le grondement du canon résonne à Paris dont les habitants ne dorment guère. De l'observatoire où il s'est fait conduire, Guillaume II se prépare à suivre les péripéties de la bataille d'où dépend le sort de son empire.

Le 15 juillet, à 4 heures 40 du matin, la vague allemande déferle ; elle parvient en un point à dépasser la Marne et, dans le secteur des monts de Champagne, elle recouvre sans peine la première position française volontairement dégarnie. Mais elle se brise sur la seconde et, dès le 16, le général Gouraud, commandant du secteur à l'est de Reims, regagne le terrain abandonné. Les escadres aériennes françaises, constituées en mai précédent, et groupant des bombardiers et des chasseurs ont pris à ce succès une part très importante. Le 17, Hindenburg et Ludendorff, jugeant la partie perdue, ordonnent aux troupes qui ont franchi la Marne de se replier.

L'offensive ennemie a décidément échoué et déjà Foch, qui n'a cessé de répéter que « la force se prouvait par le mouvement », passe à la contre-offensive.

Dans la nuit du 17 au 18, l'armée Mangin, masquée par les arbres de la forêt de Villers-Cotterets, prend silencieusement des dispositions d'attaque, appuyée à sa droite par l'armée du général Degoutte. Au petit matin, sur un sol qu'un orage vient de détremper, l'infanterie s'élance précédée de chars d'assaut construits par les usines Renault et supérieurs en maniabilité comme en résistance aux tanks britanniques. L'ennemi, mal retranché, est surpris, ses lignes fléchissent ; le 19, il a perdu dix kilomètres en profondeur sur une largeur de cinquante kilomètres, abandonné 17 000 prisonniers, 300 canons et, talonné à l'arrière, menacé sur son flanc, il poursuit hâtivement sa retraite. A la fin du mois, il aura libéré la majeure partie du terrain conquis par lui depuis le 27 mai et se sera établi sur une ligne allant de Soissons à Reims.

Dans les rangs français un immense espoir gonfle les cœurs. La Victoire a changé de camp.

CHAPITRE VIII

LA VICTOIRE

FOCH DÉCIDE DE PASSER A L'OFFENSIVE SANS ESPÉRER ENCORE QU'ELLE PUISSE, DÈS 1918, EMPORTER LA DÉCISION. ‖ IL EST PROMU MARÉCHAL. ‖ VICTOIRES EN PICARDIE. DÉGAGEMENT DU SAILLANT DE SAINT-MIHIEL. ÉLARGISSEMENT DE L'OFFENSIVE A L'ENSEMBLE DU FRONT. NOUVEAUX SUCCÈS. ‖ L'ARMÉE DE SALO-NIQUE, PASSANT A L'ATTAQUE SOUS FRANCHET D'ESPEREY, DÉFAIT LES BULGARES QUI CAPITULENT. RETENTISSEMENT DE CETTE CAPI-TULATION. ‖ VICTOIRES BRITANNIQUES DANS LE PROCHE-ORIENT. ‖ LES ALLIÉS APPUIENT LES RUSSES BLANCS INSURGÉS CONTRE LES SOVIETS. ‖ L'AUTRICHE-HONGRIE A BOUT DE FORCES. ‖ LE COM-MANDEMENT ALLEMAND RÉCLAME LA CESSATION DES HOSTILITÉS. UN GOUVERNEMENT PARLEMENTAIRE EST INSTITUÉ EN ALLEMAGNE QUI ACCEPTE DE NÉGOCIER SUR LA BASE DES QUATORZE POINTS. ‖ ÉCHANGE DE MESSAGES ENTRE WILSON ET LE CHANCELIER MAX DE BADE. ‖ INCIDENT POINCARÉ-CLEMENCEAU. ‖ NOUVEAU RECUL ALLEMAND. ‖ LES GOUVERNEMENTS ALLIÉS ARRÊTENT LES CONDI-TIONS D'UN ÉVENTUEL ARMISTICE SUR LE FRONT OUEST. ‖ CAPI-TULATION DE LA TURQUIE. ‖ CAPITULATION DE L'AUTRICHE-HONGRIE. ‖ LES ALLEMANDS SOLLICITENT L'ARMISTICE. ‖ RÉ-VOLUTION EN ALLEMAGNE, LA RÉPUBLIQUE PROCLAMÉE. ‖ L'AR-MISTICE EST SIGNÉ A RETHONDES LE 11 NOVEMBRE 1918. ‖ JOIE DÉLIRANTE EN FRANCE. ‖ APOTHÉOSE DE CLEMENCEAU. ‖ L'IVRESSE DE LA VICTOIRE EMPÊCHE DE DISTINGUER COMBIEN ELLE A ÉTÉ CHÈREMENT PAYÉE.

FOCH constate que le soldat allemand n'a plus sa vertu combative de naguère. Il constate que les troupes françaises, enfiévrées par un début de succès, témoi-gnent d'un extrême mordant. Il sait aussi que l'armée britannique, un moment désemparée, s'est tout à fait reprise. Il sait enfin que les Américains peuvent désormais mettre 19 divisions en ligne et que leurs effectifs stationnés en France s'augmenteront chaque mois d'au moins 250 000 hommes.

Le 24 juillet, ayant réuni à son quartier général de Bonbon Pétain, Haig et Pershing, il leur donne lecture d'un mémoire que Weygand a rédigé sur ses instructions.

Le préambule se termine par cette phrase :

Le moment est venu de quitter l'attitude générale défensive imposée jusqu'ici par l'infériorité numérique et de passer à l'offensive.

Suit l'énumération des actions à entreprendre sans délai et qui doivent avoir pour objet essentiel de dégager les voies ferrées indispensables aux manœuvres ultérieures des armées alliées (voie Paris-Avricourt dans la région de la Marne, voie Paris-Amiens, voie Paris-Avricourt dans la région de Commercy).

Ces actions doivent être menées par surprise, soit successivement, soit en conjugaison l'une avec l'autre, mais en tout cas à intervalles très rapprochés. Elles doivent être dotées de tous les moyens nécessaires à une réussite certaine. Si cette réussite est acquise assez tôt, on pourra envisager, pour la fin de l'été ou pour l'automne, « une offensive d'importance ».

Tout ardent est-il, Foch n'est ni téméraire ni présomptueux. Il entend ne plus laisser de répit à l'ennemi et l'attaquer en des secteurs éloignés les uns des autres ; mais il ne songe pas à la « percée » et n'espère pas encore que la décision pourra être obtenue avant 1919. Ce ne sera qu'après exécution de son plan initial qu'il le développera largement et en exploitera le succès à fond. Ce grand chef, qu'on a parfois dépeint comme surtout intuitif, possède au suprême degré le sens des possibilités.

Tandis qu'en application des directives indiquées dans le mémoire une offensive franco-britannique est montée en direction de Montdidier, le gouvernement français décide de conférer à Foch le bâton de maréchal de France. Il a paru peu séant que le commandant en chef des armées alliées ne soit pas au moins l'égal en grade de Sir Douglas Haig, *field-marshal* depuis plusieurs mois.

La promotion est datée du 7 août. Le lendemain la IVe armée britannique et la Ire armée française attaquent. Après une faible résistance, l'ennemi recule de plus de dix kilomètres implacablement bombardé par l'aviation alliée et abandonnant 13 000 prisonniers. Son usure matérielle et morale apparaît manifeste. « Jour de deuil pour l'armée allemande », écrira Ludendorff dans ses *Souvenirs*.

Le maréchal Foch n'entend pas renouveler l'erreur commise par le commandement allemand quand celui-ci laissa ses troupes victorieuses s'engager dans des poches trop étroites. Le 15 août, il prescrit un vaste élargissement du front d'attaque qui devra désormais s'étendre de Soissons à Arras et sur lequel trois armées françaises seront engagées en même temps que deux britanniques. Le 20 août, les vagues d'assaut commencent à déferler. Au début de septembre elles ont, au nord, largement dépassé la Somme et ont, au sud, atteint la ligne de Chauny à Soissons. En moins d'un mois l'adversaire a perdu tout le terrain qu'il avait conquis au cours des quatre mois précédents.

On est en Picardie bien au-delà des objectifs indiqués dans le programme du 24 juillet. Foch cependant n'oublie pas le point de ce programme qui a trait au dégagement de la ligne Paris-Avricourt dans la région de Commercy.

Pour opérer ce dégagement il faut réduire le saillant de Saint-Mihiel. Le maréchal en charge les Américains dont les divisions, jusqu'ici encadrées par les forces françaises et britanniques, vont désormais être groupées en deux armées autonomes. Effectuée entre le 12 et le 15 septembre et appuyé par un bombardement aérien massif, l'opération se solde par un succès complet.

Foch toutefois ne le considère plus que comme accessoire et il ne le complète pas par la marche sur Briey primitivement prévue. L'évidente démoralisation de l'ennemi lui ayant révélé des possibilités nouvelles, ce qu'il envisage maintenant c'est une offensive générale : de la Meuse à Reims attaque franco-américaine en direction lointaine de Mézières ; entre Reims et l'Oise attaque française ayant pour objet de rejeter l'adversaire au-delà de l'Aisne ; au nord de l'Oise attaque britannique en direction de Cambrai et Saint-Quentin ; plus au nord encore, attaque belgo-franco-anglaise destinée à dépasser la « crête des Flandres » et la zone inondée. Il s'agit en somme, par une combinaison de poussées simultanées, de forcer la « ligne Hindenburg » sur laquelle se sont retranchés les Allemands. L'exécution suit de près la conception et commence le 26 septembre. A droite l'offensive vers Mézières se voit fortement ralentie en Argonne par la mauvaise organisation des arrières américains ; mais ailleurs les progrès sont foudroyants : le 10 octobre, La Fère, Laon, Reims et les monts de Champagne ont été dégagés, l'Escaut a été franchi, Cambrai réoccupé, la crête des Flandres enlevée. Ayant évacué la plus grande partie de la ligne « Hindenburg », l'ennemi tente de se rétablir sur une « ligne Hermann » improvisée loin à l'arrière. Mais Foch donne déjà des instructions pour qu'il ne lui soit pas laissé loisir de reprendre souffle.

*
* *

Les Français accueillent avec un enthousiasme croissant les communiqués victorieux qui se succèdent et ils n'ont, bien entendu, d'yeux que pour la reconquête du sol national. Et pourtant, ce n'est pas seulement en France que le dispositif adverse est guetté par la ruine : dans les Balkans et dans l'Empire ottoman l'effondrement est même complet.

L'armée alliée de Salonique, après être passée des ordres du général Sarrail à ceux du général Guillaumat, est depuis le mois d'avril commandée par le général Franchet d'Esperey. A peine nommé, ce chef plein d'énergie et d'allant a demandé l'autorisation de déclencher une offensive contre les positions ennemies du Vardar et de la Tcherna qui, les troupes allemandes et austro-hongroises ayant été rappelées, n'étaient plus tenues que par les Bulgares.

Le gouvernement de Londres ayant multiplié les objections, cette autorisation s'est fait longtemps attendre. Elle a enfin été donnée, et le 15 septembre les forces franco-anglo-serbo-italo-grecques de Franchet d'Esperey sont passées à l'attaque, appuyées par une puissante aviation. Les Bulgares étaient inférieurs en nombre, mal nourris et démoralisés par une longue inaction. Leurs lignes ont été rompues et bientôt la cavalerie française s'est emparée d'Uskub.

En présence d'une débâcle qui risquait de déterminer une révolution intérieure, le roi de Bulgarie, l'intelligent et fourbe Ferdinand, s'est désolidarisé de ses alliés : à son invite le généralissime bulgare a adressé une demande d'armistice à Franchet d'Esperey.

Celui-ci a posé ses conditions : évacuation immédiate de toute la partie encore occupée du territoire serbe, démobilisation de l'armée bulgare, expulsion des agents allemands, occupation par les Alliés de plusieurs points stratégiques de la Bulgarie. Le tout a été accepté presque sans discussion et, le 30 septembre, l'armistice a été signé.

Événement majeur qui a dans toute l'Europe centrale et sud-orientale un immédiat retentissement. Sa nouvelle en résonne comme un glas aux oreilles des dirigeants allemands et austro-hongrois. Il n'existe nulle force disponible qui puisse efficacement empêcher l'armée alliée de franchir le Danube et d'envahir la Hongrie ; même si les Empires centraux parvenaient à prolonger leur résistance à l'ouest, ils seraient menacés d'être tournés par le sud-est. Leur défaite est inévitable.

Ce résultat n'aurait-il pas été atteint beaucoup plus tôt si les gouvernements et les chefs militaires de l'Entente avaient écouté les avis que, dès 1915, Franchet d'Esperey donnait à Briand, si, au lieu de s'obstiner, tantôt à effectuer une « percée » sur le front ouest, tantôt à y pratiquer la « guerre d'usure », ils avaient fait un effort massif en partant de Salonique, si en un mot, comme le dira plus tard Winston Churchill, ils avaient « frappé la baleine au ventre » ? La question mérite d'être posée surtout quand on songe qu'en 1915 et 1916 la Russie avait encore une immense puissance de combat. Peut-être les résistances opposées au projet salonicien par le cabinet de Londres ainsi que par les commandements français et britannique ont-elles prolongé la guerre de deux ans... Cela ne peut évidemment être prouvé.

C'est beaucoup parce qu'elle entendait faire un gros effort dans le Proche-Orient — route de l'Inde, terre à pétrole — que l'Angleterre n'a pas cru possible d'en fournir un en Macédoine. Pourtant, en dépit du concours qu'elle a su obtenir des populations arabes, ses troupes ne sont pendant longtemps point parvenues à annihiler les forces turques. Mais, à la fin de l'été 1918, le vent a tourné et, le 19 septembre, l'armée anglaise du général Allenby, appuyée par des contingents arabes, a bousculé les lignes ennemies établies en avant de Tibériade. Voyant leur ligne de retraite coupée, deux armées turques sur trois ont mis bas les armes et la cavalerie anglaise a occupé Damas. Au début d'octobre, la résistance turque ne se prolonge qu'autour d'Alep où commande le général allemand Liman de Sanders : l'Empire ottoman est virtuellement détruit.

Seul le front italien n'a pas bougé. Foch n'a pas d'autorité parfaitement définie sur le général Diaz, commandant en chef des forces italiennes, et c'est en vain qu'au début d'août il l'a pressé de prendre l'offensive. Estimant ses troupes insuffisamment remises du désastre de Caporetto, Diaz s'est dérobé. Pourtant quand l'écrasement de la Bulgarie a amené le commandement austro-hongrois à retirer plusieurs divisions du front de la Piave il s'est décidé à donner une réponse positive. Mais il hésite encore à passer à l'exécution et ce ne sera que le 24 octobre que l'attaque italienne sera véritablement déclenchée.

Depuis l'armistice de Brest-Litovsk il n'y a plus de front russe opposé aux Empires centraux. Les Alliés pourtant n'ont pas absolument désespéré d'en ressusciter un et, au début de l'été 1918, ils ont résolu — Washington faisant toutefois certaines réserves — d'appuyer les tentatives contre-révolutionnaires qui se manifestaient un peu partout en Russie.

En fait, cet appui s'est borné, d'une part à l'extension jusqu'à Arkhangelsk de l'occupation anglo-française de la côte mourmane, de l'autre à l'installation autour de Vladivostok d'un corps composé principalement de Japonais. Tel quel il a suffi à encourager les Russes insurgés et, en octobre, la dictature bolchevique peut paraître en grave péril.

Les Soviets toutefois sont déterminés à une résistance farouche. En juillet déjà le massacre de Nicolas II et de sa famille avait manifesté leur volonté de ne reculer devant rien. Depuis, Trotsky est parvenu à improviser une armée, car les paysans qui ne voulaient pas se battre contre l'ennemi extérieur acceptent maintenant de le faire pour conserver les terres qu'ils se sont partagées. La valeur de cette armée semble, à vrai dire, fort médiocre, et le gouvernement soviétique a dû aller jusqu'à solliciter en secret l'appui militaire de l'Allemagne. Mais celle-ci n'est plus en état de rien faire d'efficace et en octobre il peut ne pas paraître exclu qu'un régime pro-allié parvienne à supplanter en Russie le régime signataire de la paix de Brest-Litovsk. L'ancien ministre Noulens, représentant français à Arkhangelsk, affirme que les bolcheviks n'ont plus qu'une puissance éphémère.

« Je vois qu'il faut déposer notre bilan. Nous sommes à la limite de nos forces. Il faut que la guerre prenne fin. » C'est par ces mots que Guillaume II a accueilli la nouvelle de la défaite subie le 8 août par ses troupes dans la région de Montdidier. Le 13 et le 14, il a tenu, à son Grand Quartier impérial de Spa, une conférence à laquelle participaient, outre Hindenburg et Ludendorff, le chancelier Hertling (vieux fonctionnaire bavarois qui a succédé, au début de l'année, au terne Michaelis) et le secrétaire d'État Hintze. Les chefs militaires ont affirmé que l'offensive alliée pouvait être encore paralysée ; les civils ont émis l'opinion qu'il fallait attendre cette paralysie avant d'entamer des négociations. On s'est donc séparé sans qu'aucune démarche ait été décidée.

Le lendemain l'empereur Charles, arrivé à Spa, a déclaré que l'Autriche-Hongrie était à bout et que c'était sur-le-champ qu'il convenait d'amorcer des pourparlers de paix. Ses interlocuteurs ne l'ont pas suivi mais il a persisté dans son sentiment et, un mois après, son ministre des Affaires étrangères a fait tenir aux belligérants une note les invitant « à une discussion confidentielle dans un pays neutre ».

Cette note pouvait paraître constituer une offre déguisée de paix séparée. Mais les gouvernements de Paris, de Londres et de Washington, désormais d'accord pour laisser la Double Monarchie voler en éclat, n'ont fait qu'une réponse méprisante. Dans un discours prononcé au Sénat, Clemenceau a longuement vitupéré l'Autriche-Hongrie et a terminé en s'écriant : « Debout la Victoire sans tache ! »

Le 29 septembre, nouvelle conférence au Grand Quartier impérial de Spa. Les événements militaires se sont précipités, les armées allemandes sur le front de France ont été contraintes à un ample repli et les Alliés préparent une offensive générale. A court d'hommes, à court de matériel, constatant l'afflux incessant de nouvelles unités américaines, impressionnés par les défaillances des Austro-

Hongrois et par la défaite des Bulgares, Hindenburg et Ludendorff ont perdu toute confiance. Ils n'ont plus désormais qu'une idée : arrêter les hostilités pour sauver au moins l'armature de l'armée allemande.

« Il me faut un armistice immédiat, déclare Ludendorff, toute heure de retard aggrave le danger. »

Et il ajoute que, si l'on veut éviter une révolution à l'intérieur, il est indispensable que l'empereur renonce à son pouvoir personnel et constitue un gouvernement parlementaire.

Guillaume II s'incline. Il est décidé qu'il sera proposé aux Alliés d'entamer des négociations de paix sur la base des Quatorze points du président Wilson et qu'auparavant le prince Max de Bade sera désigné comme chancelier.

Le prince Max appartient à une famille régnante, mais il a une réputation de libéralisme, presque de socialisme. Mandé à Spa, il accepte sans plaisir la lourde charge du pouvoir et forme un ministère composé de membres du Reichstag dont deux socialistes. Le 4 octobre, pressé par Hindenburg, il adresse, sous le couvert de la légation de Suisse à Berlin, une note au président Wilson :

Le gouvernement allemand prie le président des États-Unis d'Amérique de prendre en main le rétablissement de la paix, de donner connaissance à tous les États belligérants de cette demande et de les inviter à envoyer des plénipotentiaires pour engager les négociations. Il accepte comme base le programme fixé par le président des États-Unis dans son message du 8 janvier 1918 et dans ses déclarations ultérieures. Pour éviter de prolonger l'effusion de sang, le gouvernement allemand demande la conclusion d'un armistice immédiat sur terre, sur mer et dans les airs.

Reçue à Washington la note allemande est aussitôt communiquée aux gouvernements alliés. A Paris, Clemenceau ne dissimule pas la joie qu'il éprouve à voir l'Allemagne faire l'aveu de sa défaite. Mais Poincaré redoute un armistice prématuré : ce qui lui paraît indispensable à la France, c'est non seulement l'Alsace-Lorraine mais le glacis rhénan et aussi l'écrasement complet de l'armée allemande. Dans cette pensée il envoie au président du Conseil une lettre dans laquelle il exprime l'espoir « qu'on ne coupera pas les jarrets à nos troupes ».

Le « Tigre » n'a jamais été accommodant et l'effort surhumain qu'il a fourni au cours des derniers mois a encore exacerbé sa nervosité. Les billets que lui adresse fréquemment Poincaré et dans lesquels il voit des « documents de couverture » l'agacent depuis longtemps. Souvent il les a jetés sans les lire, laissant à son chef de cabinet, Georges Mandel, le soin de les recueillir et de les garder à toutes fins utiles. Mais cette fois il explose et, saisissant sa plume, il écrit :

> *Monsieur le Président,*
> *Je n'admets pas qu'après trois ans de gouvernement personnel qui a si bien réussi, vous vous permettiez de me conseiller de ne pas couper les jarrets à nos soldats. Si vous ne retirez pas votre lettre écrite pour l'histoire que vous voulez vous faire, j'ai l'honneur de vous envoyer ma démission. Respectueusement :*
>
> CLEMENCEAU.

Poincaré répond :

> *Ma lettre ne justifiait nullement l'injure que vous m'adressez ni la démission dont vous me menacez et qui serait désastreuse pour le pays.*

Clemenceau pose ses conditions : le chef de l'État ne maintiendra pas sa lettre offensante, il s'abstiendra à l'avenir d'écrire au président du Conseil et n'aura avec lui que des communications verbales et devant témoins.

Que peut faire le président de la République ? Clemenceau jouit dans le pays d'une prodigieuse popularité et dans les conseils des Alliés d'une irremplaçable autorité.

« Je ne dirai rien, note Poincaré dans son *Journal*, tout s'apaisera vite. »

Tout s'apaise en effet, et le surlendemain Clemenceau paraît au Comité de guerre, jovial et souriant comme si rien ne s'était passé.

* *

Tempête de surface. L'important est l'échange de messages radiodiffusés qui maintenant s'institue entre Wilson et Max de Bade. Le président américain y procède sans consulter ses « associés » et l'on peut craindre qu'entraîné

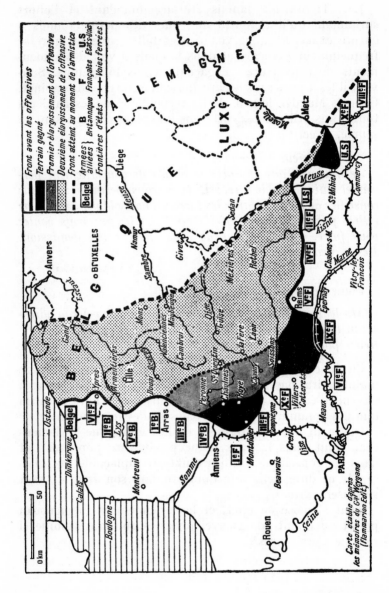

BATAILLES DE FRANCE, AOUT-NOVEMBRE 1918.

par son pacifisme il ne donne de ses quatorze points une interprétation qui laisserait intacte la puissance allemande. Cette crainte, Clemenceau la partage avec Poincaré.

En fait, si Wilson incline à penser que, pour que l'Allemagne cessât d'être dangereuse, il suffirait qu'elle fût « démocratisée », ses conseillers militaires insistent pour qu'elle soit également « démilitarisée ». Cette double tendance transparaît dans les deux premiers messages adressés au chancelier. Il y est en particulier exigé « la destruction de toute puissance militaire qui serait à même, en secret et de sa propre volonté, de détruire la paix du monde ». Dans un troisième message, le président précisera que la paix ne saurait être négociée qu'avec les « représentants du peuple allemand » et non avec « ceux qui en ont été jusqu'ici les maîtres ».

L'État-major allemand se cabre et, changeant derechef d'attitude, Ludendorff opine, le 17 octobre, à interrompre la conversation avec Wilson.

Cependant la situation des Empires centraux devient de jour en jour pire.

A partir du 18 octobre l'offensive alliée sur le front ouest redouble d'intensité. Pétain eût désiré que le principal point d'application de cette offensive fût déplacé et porté à l'est de la Meuse. Sa pensée était de tenter, à travers la Lorraine, un encerclement de l'ensemble des armées allemandes, mais Foch a jugé ce projet prématuré et les attaques frontales ont été reprises.

Le succès les couronne. A la date du 25 octobre le groupe des armées du nord commandé par le roi des Belges avec Degoutte comme chef d'État-major a occupé Courtrai, Ostende et Bruges ; les armées britanniques ont libéré Lille, Roubaix, Tourcoing et elles atteignent Valenciennes ; les Français débordent les lignes d'eau de l'Oise, de la Seine et de l'Aisne ; enfin les Américains, après avoir assez longtemps piétiné, achèvent le dégagement de l'Argonne.

« La victoire, déclare Foch à Weygand, est comme une boule sur un plan incliné, plus elle avance plus sa vitesse s'accélère. »

Les forces ennemies ne sont pourtant pas disloquées, et elles reculent en assez bon ordre, pivotant autour d'un axe fixé approximativement à Mézières. L'angoisse n'en gagne pas moins les dirigeants allemands d'autant plus que l'alliée austro-hongroise est maintenant en pleine décomposition : partout Polonais, Tchèques, Roumains et Yougoslaves s'insurgent et la grande offensive que, le 24 octobre, les Italiens ont enfin déclenchée sur la Piave ne se heurte qu'à une molle résistance.

Le 26, Ludendorff se démet de ses fonctions et se voit remplacé par le général Groener ; le 27, le gouvernement de Berlin fait connaître au président des États-Unis que toutes ses conditions sont acceptées.

Ces conditions, à vrai dire, ne sont guère que des principes. Reste à préciser les clauses d'un éventuel armistice et cela ne peut être fait que par accord entre Washington, Paris, Londres et Rome.

Le 29 octobre la discussion s'ouvre entre les Alliés. Poincaré la juge prématurée et souhaiterait *in petto* qu'il ne fût pas question de suspendre les hostilités avant l'écrasement complet des armées allemandes ; mais il n'exprime que discrètement sa pensée par crainte des réactions de Clemenceau. Or Clemenceau estime que, dans l'hypothèse d'une acceptation par l'Allemagne de toutes les exigences alliées, il serait coupable de verser « une goutte de sang » de plus.

De son côté, Foch, interrogé par le colonel House, représentant personnel de Wilson, répond : « Je ne fais pas la guerre pour faire la guerre, mais pour les résultats. Si les Allemands signent un armistice aux conditions reconnues nécessaires pour garantir ces résultats, je suis satisfait. Nul n'a le droit de prolonger plus longtemps l'effusion de sang. »

Pensée à la fois politique et humaine qui n'empêche point le maréchal de reprendre le projet de Pétain et de préparer une offensive en Lorraine. Il a d'ailleurs indiqué en détail aux gouvernements « alliés et associés » les clauses militaires que devrait, de toute nécessité, comporter la convention d'armistice.

Après examen serré, ces clauses — elles sont sévères — sont approuvées le 4 novembre par le Conseil suprême. En même temps l'Amirauté britannique fait entériner des stipulations navales plus rigoureuses encore.

En gros, les conditions sont les suivantes :

Quinze jours après la signature de l'armistice les forces allemandes devront avoir libéré les départements français envahis, l'Alsace-Lorraine, la Belgique et le Luxembourg ; dans les quinze jours suivants, les territoires de la rive gauche du Rhin seront à leur tour évacués ainsi qu'une bande de dix kilomètres de large sur la rive droite avec trois « têtes de pont » d'un rayon de trente kilomètres chacune. L'Allemagne livrera aux Alliés 5 000 canons, 30 000 mitrailleuses, 2 000 avions, tous ses sous-marins, 26 grands bâtiments de combat, 5 000 locomotives et 150 000 wagons ; elle libérera sur-le-champ et sans réciprocité ses prisonniers de guerre ; elle devra en outre renoncer au traité de Brest-Litovsk comme à celui de Bucarest et ramener ses troupes du front oriental en-deçà des frontières de 1914. Enfin, jusqu'à la signature de la paix, le blocus sera maintenu.

Ces conditions, de l'avis de Foch, doivent suffire à mettre le Reich « à la merci des vainqueurs ».

Une équivoque n'en subsiste pas moins qui pèsera lourdement sur les négociations de paix. Pressés par Wilson, les gouvernements français et britannique ont accepté de déclarer que cette paix serait fondée sur les « quatorze points », Londres faisant toutefois une réserve au sujet de la « liberté des mers » et Paris demandant que la « restauration » des territoires envahis soit entendue dans un sens très large. Mais plusieurs de ces points restent fort peu clairs et, quand il s'agira de rédiger le traité, leur interprétation donnera lieu à de pénibles débats. Clemenceau ne paraît guère s'en soucier. Il « blague » volontiers l'idéalisme à la fois nébuleux et autoritaire du président américain mais ne va pas au-delà et semble beaucoup plus monté contre ce qu'il nomme l'« incapacité du général Pershing ».

Le 5 novembre, Wilson, qui prend de plus en plus figure de chef politique de la coalition, signifie au gouvernement allemand que, si celui-ci sollicitait un armistice, le maréchal Foch aurait qualité pour lui en faire connaître les conditions.

L'Allemagne n'a plus d'alliées car, après la Bulgarie, la Turquie et l'Autriche-Hongrie ont maintenant mis bas les armes.

Ses armées de Palestine et de Syrie une fois hors de combat, le gouvernement de Constantinople, d'où les « Jeunes Turcs » pro-allemands avaient été éliminés, n'a plus songé qu'à capituler.

Il eût été normal qu'il s'adressât à Franchet d'Esperey, commandant en chef des forces alliées dans les Balkans, mais il préféra avoir recours à un Anglais prisonnier de

guerre, le général Townshend, qui, relâché, fut dirigé sur
Malte. Le gouvernement britannique s'empressa de saisir
l'occasion et invita le commandant de la base maltaise,
amiral Calthorpe, à précipiter les pourparlers. Le 28 octobre
l'armistice fut conclu à Moudros hors la présence de tout
représentant français. D'évidence la Grande-Bretagne
entendait prendre, dans les dépouilles de l'empire ottoman,
la part du lion. Devant le fait accompli, le gouvernement
de Paris s'inclina.

L'Autriche-Hongrie, en pleine liquéfaction, a résisté à
peine plus longtemps ; à partir du 24 octobre ses armées
ont reculé en désordre sous la poussée des Italiens, et le
30, ceux-ci se sont emparés de Vittorio-Veneto, faisant un
nombre énorme de prisonniers. Entièrement débordé,
constatant que partout dans ses États la révolution gron-
dait et que ses ordres n'étaient plus nulle part obéis, l'empereur Charles a sollicité directement un armistice du
commandement italien. Les conditions en ont été arrêtées
par accords entre les Alliés et la convention en a été signée
le 3 novembre à Villa Giusti près de Padoue. La monarchie
austro-hongroise n'est d'ailleurs plus qu'un fantôme et à
sa place s'agitent des « nationalités » qui déjà commencent
à se disputer des lambeaux de territoire. Le 7 novembre
l'armée de Franchet d'Esperey atteindra le Danube. Le
11, l'empereur Charles quittera le sol autrichien pour se
réfugier en Hongrie qu'il trouvera en pleine révolution et
où il ne lui sera pas permis de demeurer longtemps. Mélancolique fin de l'antique dynastie des Habsbourg. Rude
châtiment de la faute qu'elle a commise en s'inféodant aux
Hohenzollern. Et aussi vide bien périlleux créé dans la
région la plus sensible de l'Europe...

Clemenceau ne songe guère à ce vide quand, le 5 novembre, il lit à la Chambre, sur un ton de triomphe, le
texte de l'armistice autrichien. Les députés lui font une
ovation prolongée et le public salue en lui le Libérateur
du Territoire.

***

Revenons à l'Allemagne.

Le 6 novembre, Hindenburg, qui n'a pas accompagné
Ludendorff dans sa retraite, décide de replier ses armées
sur une ligne jalonnée par Anvers, Bruxelles, Charleroi et

Mézières, mais il craint que cette ligne ne soit bientôt tournée par les Franco-Américains qui viennent de passer sur la rive est de la Meuse. Le lendemain, lui et Groener mandent au chancelier Max de Bade qu'il est indispensable que l'armistice soit immédiatement sollicité. Le chancelier s'incline et un message est expédié au maréchal Foch le priant d'indiquer le lieu où il accepterait de recevoir les plénipotentiaires du Reich.

L'Allemagne est maintenant au bord de la révolution. Le 3 novembre, le commandement naval ayant décidé de tenter une sortie des escadres mouillées dans le port de Kiel, plusieurs équipages ont refusé l'obéissance. La mutinerie s'est étendue et les marins insurgés ont fait irruption à Hanovre, à Brunswick, à Cologne où des « conseils » révolutionnaires imités des Soviets, se sont constitués. Trois jours après, c'est Munich qui se rebelle à la voix du socialiste extrémiste Kurt Eisner. A Berlin, l'agitation est extrême et Joffe, l'ambassadeur soviétique, travaille à la développer encore. Rendus amers par la défaite, excédés par les privations, gagnés par l'exemple russe, les ouvriers cessent le travail et descendent dans la rue. La fameuse discipline allemande fait, au moins dans les grands centres, place au chaos.

C'est le 8 novembre, à 7 heures du matin, que le train amenant les plénipotentiaires chargés de solliciter l'armistice — le ministre-député Mathias Erzberger, l'ambassadeur comte Oberndorf, le général de brigade de Winterfeld et le capitaine de vaisseau Vanselow — pénètre lentement dans la forêt de Compiègne et s'arrête sur un épi de voie ferrée proche du carrefour de Rethondes. Foch a choisi ce lieu écarté pour y recueillir l'aveu de la capitulation allemande.

Quand les Allemands sont introduits dans le wagon-salon du maréchal, ils y trouvent, à côté de celui-ci, l'amiral britannique Sir Rosslyn Wemyss, représentant de l'Amirauté de Londres. Le général Weygand et plusieurs officiers alliés sont également présents.

Les pouvoirs vérifiés, Foch ordonne à Weygand de donner lecture du projet de convention d'armistice tel qu'il a été arrêté par les gouvernements alliés. Puis, sur un ton froid mais sans hauteur, il signifie aux plénipotentiaires ennemis qu'ils ont soixante-douze heures pour accepter ou rejeter ce texte dont les termes ne seront pas modifiés. En attendant, les hostilités se poursuivront.

Tandis que les Allemands, consternés, se retirent dans leur train d'où ils entrent en communication radiotélégraphique avec leur gouvernement, le maréchal invite Pétain et Pershing à se tenir prêts à déclencher la grande offensive prévue à travers la Lorraine. Il demande aussi à Diaz, commandant en chef italien, de se préparer à en lancer une autre en direction de Munich.

Au Grand Quartier impérial de Spa l'affolement règne. Les nouvelles de l'intérieur sont sans cesse plus alarmantes et le chancelier Max de Bade fait savoir que la seule chance qui subsiste d'éviter une révolution totale est l'abdication immédiate de l'empereur. Guillaume II veut résister, parle de marcher sur Berlin, mais les généraux lui déclarent que les troupes sont lasses, exigent l'armistice et n'obéiront pas.

Le 9 novembre, l'émeute se déchaîne dans la capitale. Pour éviter le pire, le chancelier fait, de sa propre autorité, publier un communiqué annonçant que « l'empereur et roi a renoncé au trône pour lui et pour le prince héritier ». Puis il se démet de ses propres fonctions au profit du socialiste modéré Ebert. Quelques instants après, du haut du balcon du Reichstag, la République est proclamée.

Quand cette nouvelle lui parvient Guillaume, qui a toujours été hypernerveux, s'effondre. L'altier souverain n'est plus qu'une loque et, sans songer à s'aller faire tuer sur le front, il signe son abdication en tant qu'empereur allemand (mais non en tant que roi de Prusse). Après une nuit agitée et sur le conseil de Hindenburg, il s'enfuit en Hollande.

Ebert est maintenant président du Reich avec un autre socialiste, Scheidemann, comme chancelier. Le 10 novembre à la fin de l'après-midi tous deux se mettent d'accord pour faire savoir aux plénipotentiaires qui attendent à Rethondes qu'ils aient à signer la convention d'armistice dans le délai imparti par Foch.

Le lendemain 11 novembre, à 2 heures du matin, les délégués allemands font savoir au maréchal qu'ils sont à sa disposition. La séance s'ouvre aussitôt. La convention est relue et discutée article par article. A 5 heures les signatures sont apposées sans qu'aucune modification importante ait été apportée. Il a été convenu que les hostilités cesseraient à 11 heures de la même matinée. Des instructions à cet effet sont aussitôt adressées aux armées et le maréchal part vers Paris pour remettre à Clemenceau le texte original de la capitulation allemande.

Plus tard, il arrivera aux Allemands de prétendre que seule la menace de révolution intérieure les a obligés à cette capitulation et que leurs troupes ont été « poignardées dans le dos ».

Allégation fausse. Sans doute, le 11 novembre 1918, l'armature des forces allemandes subsistait encore, et Mézières, le pivot à partir duquel s'effectuait leur retraite, n'était pas perdu. Ces forces n'en étaient pas moins partout battues et leurs facultés combatives avaient, de l'aveu même de leurs chefs, complètement disparu. Elles étaient d'évidence hors d'état d'opposer une résistance sérieuse aux offensives préparées sur les ordres de Foch, offensives qui eussent immanquablement abouti à leur anéantissement. Aussi bien, plusieurs semaines avant le début des troubles, le commandement allemand pressait-il déjà le gouvernement de négocier un armistice.

Ce ne furent pas les révolutionnaires de l'intérieur qui eurent finalement raison des armées du Reich, ce fut le courage, ce fut l'opiniâtreté des soldats alliés ; ce fut aussi l'esprit de sacrifice des marins chargés d'assurer le blocus ; ce fut enfin le génie militaire du maréchal Foch.

Clemenceau eût désiré que la Chambre fût la première informée de la conclusion de l'armistice. Mais le bruit s'en répandant à Paris dès dix heures du matin, la consigne de silence est levée et, à onze heures, tandis que sans souci du froid une foule délirante déferle par les rues parisiennes, tandis que le voile noir qui couvrait place de la Concorde la statue de Strasbourg est arraché par des centaines de mains, tandis que comme par miracle toutes les fenêtres se fleurissent de tricolore, une salve d'artillerie annonce officiellement la grande nouvelle. Peu après, dans tous les clochers de France, les cloches sonnent à la volée, joyeuse réplique au tocsin du 1er août 1914.

Au début de l'après-midi, le président du Conseil — jaquette noire à basques carrées, petite cravate noire, gants gris, visage jaune — monte à la tribune du Palais-Bourbon. Tous les députés, debout, l'applaudissent frénétiquement.

Il donne lecture des clauses de l'armistice : chaque phrase en est hachée par des acclamations. Cette lecture terminée, le vieux protestataire de 1871 adresse, d'une voix étouffée par l'émotion, le salut de la France une et indivisible à l'Alsace et à la Lorraine recouvrées.

Puis, les bras levés, il s'écrie :

« Honneur à nos grands morts qui ont fait cette victoire !... Quant à nos vivants... qu'ils soient salués d'avance pour la grande œuvre de reconstruction sociale... Grâce à eux, la France, hier soldat de Dieu, aujourd'hui soldat de l'Humanité, sera toujours le soldat de l'Idéal ! »

Une tempête de vivats secoue l'hémicycle ; elle aboutit à une *Marseillaise* qui, entonnée par les députés, est reprise en chœur par le public des tribunes. Puis, tandis que le chef du gouvernement se rend au Sénat, l'Assemblée vote une motion proclamant que « *le citoyen Georges Clemenceau, les Armées de la République, le maréchal Foch ont bien mérité de la Patrie* ».

A la même heure, Foch rédige cet ordre destiné aux armées alliées :

« *Après avoir résolument arrêté l'ennemi, vous l'avez pendant des mois, avec une foi et une énergie inlassables, attaqué sans répit.*

« *Vous avez gagné la plus grande bataille de l'Histoire et sauvé la cause la plus sacrée, la liberté du Monde.*

« *Soyez fiers. D'une gloire immortelle, vous avez paré vos drapeaux. La postérité vous garde sa reconnaissance.* »

Cependant qu'au front les combattants s'étonnent du subit silence qui a succédé au grondement du canon et ont peine à croire leurs souffrances terminées, Paris et toutes les villes françaises chavirent dans la joie. Chansons, rires, sanglots d'allégresse, embrassades, baisers, folles farandoles, port en triomphe des permissionnaires : toute la soirée et toute la nuit suivante, la liesse se poursuit dans un *crescendo* continu. Les parents mêmes des morts y sont entraînés et oublient un moment leur douleur. Le cauchemar est terminé. De quels lendemains radieux, pense-t-on unanimement, ne peut-il manquer d'être suivi ?

L'ivresse légitime de la victoire empêche de distinguer combien cette victoire, toute glorieuse soit-elle, a été chèrement payée, chèrement par la France, chèrement par la civilisation dont la France était le sel.

CHAPITRE IX

BILAN DE LA GUERRE

SAIGNÉE FAITE PAR LA GUERRE DANS LE CORPS FRANÇAIS. PERTES EN QUANTITÉ ET EN QUALITÉ. ‖ CONTRIBUTION DE L'OUTRE-MER. ‖ DESTRUCTIONS MATÉRIELLES, LEUR ÉTENDUE, LEUR ÉVALUATION. ‖ PROGRÈS TECHNIQUES CONCOMITANTS. ‖ DÉPENSES DE GUERRE. PROCÉDÉS EMPLOYÉS POUR Y FAIRE FACE : IMPOTS, INFLATION, EMPRUNTS. ‖ LE FRANC EN PÉRIL. ‖ HAUSSE DU PRIX DE LA VIE. ‖ MAINMISE PROGRESSIVE DE L'ÉTAT SUR L'ÉCONOMIE NATIONALE. ‖ INCIDENCE DE LA GUERRE SUR LA CONDITION DES DIFFÉRENTES CLASSES SOCIALES. LA CLASSE OUVRIÈRE RELATIVEMENT LA MOINS ATTEINTE. ‖ SÉRIEUX MANIFESTÉ EN GÉNÉRAL PAR LA POPULATION CIVILE. ‖ ROLE DE LA GRANDE PRESSE. ‖ AU PATRIOTISME INITIAL S'AJOUTENT DES PRÉOCCUPATIONS HUMANITAIRES. LA « DERNIÈRE DES GUERRES ». ‖ RÉGRESSION DE L'ANTICLÉRICALISME. ‖ LA LITTÉRATURE. ÉCRIVAINS COMBATTANTS, ÉCRIVAINS « ENGAGÉS ». LIVRES SUR LA GUERRE, EN MARGE DE LA GUERRE, IGNORANT LA GUERRE ET CONTRE LA GUERRE. ‖ NAISSANCE DU SURRÉALISME. ‖ LE THÉATRE. ‖ PEINTURE, SCULPTURE, ARCHITECTURE, MUSIQUE. ‖ L'ESPRIT DE CRÉATION N'EST PAS MORT, MAIS L'ÉPOQUE QUI S'OUVRE VA SOUFFRIR D'UN DÉSÉQUILIBRE NERVEUX. ‖ FONCTIONNEMENT DE LA CONSTITUTION PENDANT LA GUERRE. ‖ ROLE DES ASSEMBLÉES PARLEMENTAIRES. ‖ LE RÉGIME S'EST TIRÉ AVEC HONNEUR DE LA GRANDE ÉPREUVE.

Au cours des quatre ans, trois mois et huit jours qu'a duré la guerre, 7 948 000 Français métropolitains âgés de dix-huit à cinquante et un ans ont été mobilisés, 20 pour 100 de la population totale de la métropole.

Sur ces 7 948 000 Français, 1 315 000, soit 16,5 pour 100, ont trouvé la mort :

895 000 tués au feu,
245 000 morts de blessures,
175 000 morts de maladie.

Les plus lourdes pertes ont été subies en 1915 (offensives d'Artois, de Champagne, « grignotage ») ; viennent ensuite, par ordre décroissant, 1914 (pour cinq mois de guerre seulement), 1916, 1918 (pour dix mois et onze jours de guerre), enfin 1917.

Pour évaluer le coup porté à la population française, il convient en outre de tenir compte de la très forte diminution du nombre des naissances (la plupart des hommes jeunes étaient au front) ainsi que de la mortalité engendrée dans la population civile par les restrictions de toute nature. Un fait apparaît pathétique quand on songe que c'est l'espoir de libérer l'Alsace et la Lorraine qui a constamment soutenu le pays pendant la guerre : la France aura beau récupérer les 1 800 000 Alsaciens-Lorrains, elle comptera au recensement de 1921 moins d'habitants pour 90 départements qu'elle n'en comptait en 1913 pour 87 (39 210 000 au lieu de 39 790 000, soit un déficit de 580 000 âmes).

Effrayantes en quantité, les pertes le sont davantage encore en qualité. 27 pour 100 des hommes de dix-huit à vingt-sept ans, soit la partie la plus vigoureuse de la nation, sont tombés pour ne plus se relever. De plus, parmi les classes sociales, c'est la classe paysanne et la classe intellectuelle — la base solide et le sommet de la pyramide française — qui se sont vues spécialement atteintes. Environ 31 000 membres des professions libérales ont été tués ; 833 polytechniciens sont morts au combat ; sur 346 élèves ou anciens élèves de l'École Normale supérieure mobilisés, 143 ne sont pas revenus ; plus de la moitié des instituteurs publics mobilisés ont péri.

Comment évaluer la force vive dont la France a été privée par le sacrifice de sa jeunesse paysanne ? Comment estimer le nombre des talents, voire des génies créateurs dont elle a été amputée par le sacrifice de sa jeunesse intellectuelle ? Au cours des années qui vont suivre elle souffrira cruellement d'une crise des élites. Ses défaillances ne s'expliqueront-elles pas en grande partie par là ?

De l'ampleur de l'hémorragie on trouve un témoignage

dans la comparaison faite, entre les principaux belligérants, du pourcentage des tués par rapport à la population masculine active (population qui se montait chez nous en 1914 à 13 150 000 individus) :

France 10   pour 100
Belgique............................. 1,9   pour 100
Royaume-Uni 5,1   pour 100
États-Unis........................... 0,2   pour 100
Italie............................... 6,2   pour 100
Russie............................... 4,5   pour 100
Allemagne........................... 9,8   pour 100
Autriche-Hongrie 9,5   pour 100

En outre, 2 800 000 Français ont été blessés, dont la moitié deux fois au moins ; 500 000 souffrent des suites de maladies contractées aux armées ; sur les 490 000 prisonniers beaucoup vont revenir de captivité avec des santés déficientes. Le nombre des pensionnés pour invalidité définitive ou temporaire s'élèvera à près de 600 000, dont 60 000 amputés : autant d'hommes français dans la force de l'âge dont la capacité de travail est diminuée, parfois anéantie.

Les populations d'outre-mer n'ont pas été exemptes du tribut sanglant.

Avant 1914 un des grands arguments du parti colonial était qu'en cas de guerre l'outre-mer fournirait à l'armée française des contingents dont l'appoint serait décisif. Sans combler tous les espoirs, cet appoint a été fort important : à la bataille de la Marne, c'est le 19e corps d'armée, composé en partie d'indigènes algériens, qui nous a assuré la supériorité numérique; à partir de 1915 les levées — levées en principe volontaires sauf en Algérie, mais souvent en fait forcées — se sont poursuivies sur une très grande échelle et sans se heurter à des difficultés graves.

(Dans son ensemble, l'Empire français d'outre-mer est resté pendant toute la durée des hostilités remarquablement calme. Sauf au Maroc, aucune opération militaire d'envergure n'a été nécessaire. Partout, même aux jours les plus noirs, le prestige français est demeuré intact.)

En tout, 818 000 indigènes ont été recrutés, dont 636 000 se sont vus transportés en France — 449 000 militaires et 187 000 travailleurs.

L'origine des 449 000 soldats d'outre-mer venus servir dans la métropole était la suivante :

Antilles et Réunion...................... 31 000
Algérie................................ 150 000
Tunisie............................... 39 000
Maroc................................ 14 000
Afrique Noire......................... 135 000
Madagascar 34 000
Indochine............................. 43 000
Somalie et Pacifique................... 3 000

Les pertes ont été sévères : environ 70 000 tués, dont plus de la moitié Nord-Africains. En répandant leur sang sur le sol français les indigènes de nos colonies et protectorats ont acquis des droits dont certains d'entre eux vont, au lendemain des hostilités, commencer à revendiquer l'exercice. L'idée s'imposera progressivement que ces indigènes ne sauraient plus être considérés comme de simples sujets ; dès le mois de février 1919, une loi conférera aux musulmans algériens le droit de participer aux élections pour les assemblées locales. Modeste point de départ vers des réformes singulièrement plus amples et qui finiront par ébranler la structure de ce qu'on nommera plus tard l'Union française.

* *

Après les pertes humaines, les destructions matérielles. Le territoire à des degrés divers dévasté représente environ 7 pour 100 de la superficie de la France ; en 1914 il en constituait de beaucoup la partie la plus industrialisée (66 pour 100 de la production textile, 60 pour 100 de l'industrie houillère, 55 pour 100 de l'industrie métallurgique) ; il était habité par 10 pour 100 de la population totale et 14 pour 100 de la population industrielle de la France. Sur ce territoire 222 132 maisons ont été totalement détruites et 342 197 partiellement ; le sol bouleversé comprend 2 125 087 hectares de terres labourées, 426 609 hectares de pâturages, 596 076 hectares de bois et 111 792 hectares de terrains bâtis : à perte de vue, des visions de cauchemar — terres brûlées parsemées de squelettes d'arbres, ruines calcinées — ont remplacé les tableaux où se peignait l'activité féconde d'une des régions les plus riches du monde. Pour ne mentionner que l'industrie houillère, les dix-huit concessions sinistrées du Nord et du Pas-de-Calais avaient produit en 1913 18 662 000 tonnes de charbon : en 1920, après un début de remise en état, elles n'en produiront que 2 433 000.

La dévastation n'a, bien entendu, pas épargné le cheptel : 835 000 bovins, 377 000 chevaux ou mulets, 891 000 moutons et 332 000 porcs ont été enlevés par l'ennemi.

A quelle somme évaluer l'ensemble de ces pertes ? On en discutera pendant longtemps et les chiffres les plus divers seront proposés. Au lendemain de la guerre le ministre français des Finances ira jusqu'à avancer celui de 134 milliards de francs-or, tandis que l'économiste anglais Keynes le réduira à 20 milliards. Il semble, tout examiné, qu'un chiffre voisin de 35 milliards de francs-or puisse être retenu.

Les destructions sont bien loin de représenter la totalité des dommages matériels. Il y faut ajouter la volatilisation de nos créances sur la Russie (15 milliards de francs-or, dont 11 milliards prêtés avant 1914 et 4 milliards pendant les hostilités), sur l'Autriche-Hongrie, sur les États balkaniques et sur la Turquie ; il y faut joindre aussi l'or exporté et les avoir à l'étranger liquidés pour concourir au financement de la guerre. Au total, la fortune métropolitaine, estimée en 1914 à 302 milliards environ, est tombée à environ 227 milliards à la fin de 1918, soit une amputation de 25 pour 100.

Au lendemain de l'armistice tous les Français sont persuadés que l'Allemagne pourra être contrainte à une réparation intégrale des dommages : « Le Boche paiera... » Hélas ! l'histoire des années suivantes sera celle des successifs démentis donnés à cette illusion.

En regard d'un écrasant passif figurent cependant des éléments positifs. La guerre a déterminé d'importants perfectionnements dans l'art médical et chirurgical (traitement des plaies, chirurgie des nerfs et de la face, greffes osseuses, nouveaux procédés d'anesthésie) ; elle a aussi fait progresser plusieurs techniques industrielles, celles notamment des constructions navales, de l'hydroélectricité, des fabrications chimiques, de l'automobile, celle surtout de l'aviation (à la fin des hostilités, les monoplans atteignent une vitesse de 220 kilomètres à l'heure et peuvent monter à 4 000 mètres en douze minutes). Parallèlement, l'organisation de la production s'est fort améliorée par l'utilisation de la méthode Taylor et le développement de la standardisation. Enfin le retour de l'Alsace-Lorraine à la France va valoir à celle-ci des mines de fer, des installations métallurgiques et des gisements de potasse qui donneront une impulsion nouvelle à son industrie. En revanche, nombre d'usines hâtivement créées sous la pression des circonstances, dans des conditions médiocres, pèseront lourdement sur l'économie nationale.

*
* *

Les dépenses budgétaires de la France en guerre peuvent très approximativement être évaluées à quelque 190 milliards de francs-or, somme qui apparaît gigantesque quand on se souvient qu'en 1913 le budget annuel de l'État ne se montait qu'à environ 5 milliards.

Il y a été fait face par l'impôt, par l'inflation et par l'emprunt.

L'impôt a relativement peu produit. Ce ne fut qu'en juillet 1916 que les pouvoirs publics se décidèrent à créer une taxe nouvelle frappant les bénéfices sur marchés de guerre. La même année et l'année suivante les droits d'enregistrement et les contributions indirectes furent légèrement augmentés. Enfin, une loi du 31 juillet 1917 institua, à côté de l'impôt général sur le revenu voté en 1914, une série d'impôts cédulaires ; mais, en raison de la modicité de leur taux et de l'absence de contrôle, le rendement de ces taxes sur les revenus fut presque insignifiant. Pendant les quatre années d'hostilités, le produit total des impôts ne dépassa pas 26 milliards.

L'inflation donna davantage. Si, aux avances qu'en vertu de lois successives l'État fut autorisé à demander à la Banque de France, on ajoute le montant des bons du Trésor escomptés par celle-ci, on trouve un total voisin de 33 milliards représentés par des billets non gagés.

Ce furent néanmoins les emprunts qui fournirent le principal des ressources — emprunts intérieurs à court terme, emprunts intérieurs à long terme, emprunts extérieurs.

A partir de 1915 les Bons de la Défense nationale institués par le décret du 2 septembre 1914 connurent un très grand succès. A l'armistice, le montant en circulation de ces Bons avoisine 30 milliards : énorme dette flottante qui, au cours des années suivantes, sera encore très fortement accrue et qui mettra les finances publiques à la merci de la nervosité des porteurs.

Les quatre emprunts à long terme émis pendant les hostilités et que les Français ont souscrits avec un admirable empressement ont rapporté ensemble 55 milliards. Du coup, le service de la dette consolidée, qui avait réclamé 760 millions de francs en 1913, en a absorbé 2 610 millions en 1918. Si l'on y joint le service des pensions, c'est en présence d'une charge de plus de 7 milliards par an que l'on se trouve, charge dépassant à elle seule des deux cinquièmes le montant du budget de 1913. Peu de Français se doutent encore qu'elle acculera l'État à la dévaluation, c'est-à-dire à la faillite déguisée.

La dévaluation, qui allège la dette intérieure, ne saurait avoir le même effet à l'égard de la dette extérieure, dont le service doit être assuré dans la monnaie des pays prêteurs. Pendant les hostilités, la France a emprunté à l'étranger, principalement aux États-Unis et à la Grande-Bretagne, l'équivalent de 32 milliards de francs-or. Ces emprunts auront de graves conséquences politiques : au cours de l'après-guerre la question des dettes interalliées empoisonnera, en même temps que la question des réparations, l'atmosphère internationale. Toutes deux se termineront d'ailleurs de la même manière : par la carence des débiteurs.

Quand on se rendra compte de l'étendue des pertes matérielles et de l'endettement subis par la France, quand on constatera l'effondrement de ses importations, quand on s'apercevra aussi de la disparition quasi totale de ses avoirs à l'étranger, le crédit de l'État français recevra un coup que mesurera la baisse du franc par rapport aux devises fortes.

Toutefois, lors de l'armistice, la joie de la victoire aveugle tous les yeux. La dépréciation du franc par rapport au dollar qui, grâce aux accords interalliés, n'a jamais dépassé 15 pour 100 pendant les hostilités, est réduite à 3,5 pour 100 en novembre 1918. Mais, à la fin de 1919, une imprudente politique financière aidant, cette dépréciation atteindra 53 pour 100, et 69 pour 100 à la fin de 1920. Le roc sur lequel reposait la société bourgeoise française fera plus que vaciller.

***

Pendant les années de guerre le danger guettant la monnaie est passé à peu près inaperçu, et, aux yeux d'une opinion publique très mal informée des questions économiques et monétaires, les « mercantis » et « profiteurs » ont été les grands responsables de l'enchérissement de la vie.

A la fin de 1915 cet enchérissement ne dépassait pas 20 pour 100. A la fin de 1916 il n'atteignait encore que 35 pour 100. Mais à partir de 1917 la courbe s'est rapidement tendue et, à l'armistice, la hausse de l'indice se chiffre par environ 120 pour 100. C'est dire que, depuis 1914, le prix des produits nécessaires à l'existence a sensiblement plus que doublé.

Pour freiner le mouvement les pouvoirs publics ont été progressivement conduits à instaurer une quasi-nationalisation du ravitaillement. Ils ne l'ont d'ailleurs pas décrétée en vertu d'un plan préconçu, mais par une série de mesures prises sous la pression des circonstances.

Une des premières en date fut la loi du 16 octobre 1915 autorisant le gouvernement d'une part à réquisitionner à un prix fixe les blés et farines produits en France, d'autre part à acheter à l'étranger le complément nécessaire à l'approvisionnement en céréales de la population civile. En 1916 le droit de réquisition et de taxation fut étendu au sucre, au lait et aux œufs. En 1917, on créa un ministère du Ravitaillement et on institua un monopole d'État pour l'achat et la répartition des céréales et du sucre ; il fut aussi prescrit aux boucheries de fermer deux jours par semaine et interdit aux boulangeries de vendre des gâteaux. Enfin la loi du 10 février 1918 donna au gouvernement licence de réglementer par décrets la production, la fabrication, la circulation, la vente et la consommation des combustibles ainsi que des denrées nécessaires à l'alimentation. A compter du 1er juin on distribua des cartes d'alimentation en pain et en sucre.

Mesures prises trop tardivement pour empêcher les finances extérieures d'être lourdement obérées par les achats de produits alimentaires faits à l'étranger. Dans leur application elles se heurtèrent d'ailleurs à mille difficultés et, pour empêcher qu'elles ne soient tout à fait tournées, il fallut à de multiples reprises relever les prix de taxation. Ce ne fut que vers la fin de 1917 que les restrictions commencèrent vraiment à se faire sentir : les civils mangèrent moins de viande, moins d'œufs, moins de sucre, et le pain fut de médiocre qualité. L'insuffisance de lait entraîna une recrudescence de la mortalité infantile et les privations rendirent particulièrement sensible l'ensemble de la population à l'épidémie dite de « grippe espagnole » qui se déchaîna à partir de mai 1918.

Parallèlement au ravitaillement civil le gouvernement se trouva amené à contrôler l'approvisionnement de l'industrie en matières premières. Il le fit par l'intermédiaire de « consortiums » privés chargés des achats et de la répartition, la fixation des prix étant réservée à un office public. En février 1918 la totalité de la flotte marchande fut réquisitionnée. Quand se termine la guerre on peut dire que l'État tient étroitement en main presque toute l'activité économique du pays.

Après l'armistice la réglementation établissant cette contrainte sera abrogée. Mais le dogme de la liberté économique aura reçu une rude atteinte et la voie sera frayée à de nouvelles expériences étatistes : il sera désormais admis que le champ d'activité de la puissance publique peut, au besoin, dépasser de beaucoup les limites que tous les partis, le socialiste excepté, lui avaient jusque-là assignées.

Les rentiers ont cruellement souffert de l'enchérissement de l'existence ; de même les propriétaires d'immeubles touchés par le moratoire des loyers ; de même aussi les membres des professions libérales. En revanche les industriels — industriels souvent improvisés — les commerçants et les intermédiaires de tout ordre ont souvent réalisé de gros gains que l'impôt sur les bénéfices de guerre ne leur a repris que partiellement. Les producteurs agricoles eux-mêmes, quand ils sont parvenus à éluder les taxations, ont largement profité des circonstances.

Quant aux ouvriers, ce n'est qu'avec quelque retard que la hausse de leurs salaires a accompagné celle des denrées : à l'armistice ces salaires n'ont, en moyenne, augmenté que de 75 pour 100 tandis que le coût de la vie a plus que doublé.

Exception doit être faite pour les salaires payés dans les usines de guerre qui, eux, se sont élevés dans la proportion de deux fois et demi. Par contre les traitements des fonctionnaires et agents des services publics n'ont bénéficié que d'une majoration de 50 pour 100.

La demande de main-d'œuvre industrielle, sans cesse accrue à partir de 1916, et la très forte proportion de femmes employées dans les usines d'armement ont posé des problèmes que les pouvoirs publics n'ont pu négliger.

Au début il avait été admis que les hostilités suspendaient en fait l'application de la législation protectrice du travail, et les ouvriers, entraînés par l'enthousiasme patriotique général, n'avaient pas protesté. Aussi bien les organisations syndicales étaient désorganisées, l'état de siège régnait et il ne subsistait guère de moyens de faire entendre des revendications.

Assez vite pourtant, on l'a vu plus haut, l'activité syndicaliste reprit, surtout dans la métallurgie, le bâtiment, l'habillement et les transports. Les principales réclamations portaient sur les salaires, les conditions du travail féminin et la protection contre l'afflux de la main-d'œuvre étrangère. En 1916 on compta 314 grèves et 696 en 1917, ces dernières intéressant près de 300 000 ouvriers. En 1918 on n'en enregistra que 499 mais, sous l'influence de la révolution soviétique, elles eurent un caractère plus nettement politique que les précédentes.

Néanmoins il y eut en France moins de grèves que dans les autres pays belligérants ; jamais le gouvernement n'eut à employer la manière forte, et les procédures de conciliation instituées en janvier 1917 pour régler les conflits dans les entreprises relevant de l'Armement fonctionnèrent le plus souvent de manière satisfaisante. Tant qu'il fut ministre de l'Intérieur, Malvy ne cessa pas d'entretenir des contacts cordiaux avec les *leaders* syndicalistes — principalement avec Jouhaux, secrétaire général de la C. G. T. — et ensuite Clemenceau ne s'écarta qu'à peine de cette politique.

Dans l'ensemble, quand se termine la guerre, la classe ouvrière peut apparaître relativement favorisée : encore qu'elle compte plus de 350 000 tués ou disparus, l'impôt du sang l'a proportionnellement moins frappée que les

autres classes ; sa part dans la distribution du revenu
national a augmenté ; plusieurs mesures législatives ont
été prises en sa faveur (loi du 10 juillet 1915 accordant aux
ouvrières travaillant à domicile un minimum de salaires,
loi du 11 juin 1917 donnant le repos du samedi après-midi
à l'ensemble du personnel féminin), enfin sa cohésion s'est
fortement accrue comme en témoigne l'augmentation massive des effectifs syndicaux.

Débarrassés des rêves anarchisants qui les hantaient
encore à la veille des hostilités, les ouvriers français sortent
de la guerre mieux organisés et mieux armés pour la lutte.
Quelques jours après l'armistice un congrès intersyndical
va élaborer un programme minimum dont l'article principal — la journée de 8 heures — entrera dans la loi dès
l'année suivante. Il est vrai qu'en même temps, l'exemple
russe tendra à écarter du réformisme beaucoup de travailleurs et les poussera sur une nouvelle voie révolutionnaire.

***

Dans leur immense majorité les Français ont supporté
avec fermeté souffrances et privations. L'enthousiasme
un peu inconsidéré des premiers mois est tombé dès la
fin de 1914, mais il a fait place à une résolution qui, tout
en ayant connu des hauts et des bas, ne s'est jamais vraiment démentie.

En dépit de tant de stériles massacres, ce n'est qu'une
fois, en mai 1917, qu'un mouvement de lassitude allant
jusqu'à la révolte s'est manifesté chez les « bonhommes »
du front. Encore ce mouvement, qui fut loin de s'étendre
à l'ensemble des armées, avait-il surtout pour objet des
revendications d'ordre matériel : un petit nombre de
condamnations exemplaires, une amélioration de l'ordinaire
et une accélération des tours de permission suffirent à
l'apaiser.

A l'arrière les « défaitistes » avoués furent rares, et les
voix qui çà et là s'élevèrent pour mettre en doute l'utilité
d'une lutte poursuivie « jusqu'au bout » furent couvertes
par des clameurs de réprobation. A aucun moment ne se
produisirent des manifestations de masse en faveur de la
cessation des hostilités et les pacifistes « zimmerwaldiens »

ne parvinrent jamais à conquérir la majorité au sein des grandes centrales ouvrières. Suspect à l'extrême gauche, abominé par le centre et la droite, Caillaux resta un isolé. Le vieux jacobin Clemenceau incarna au contraire la volonté de vaincre qui animait la quasi-totalité de la nation : à peine sa main vigoureuse eut-elle saisi les rênes du pouvoir que prit fin le fléchissement moral qui s'était dessiné au milieu de 1917.

Il y avait trop de deuils pour que les appétits de plaisir se manifestassent ouvertement : théâtres, cafés-concerts et cinémas ne rouvrirent leurs portes qu'à la fin de 1915 et pour des spectacles comportant une pointe patriotique ; les modes féminines se simplifièrent et le costume considéré comme le plus élégant fut — d'aucunes en abusèrent — celui de l'infirmière ; on cessa de danser en public et il fallut attendre l'arrivée des Américains pour que quelque relâchement se produisît à cet endroit.

Bien entendu cette austérité n'empêcha ni les discrètes parties fines ni les amours clandestines — celles-ci multipliées en raison du nombre des esseulées et aussi de la promiscuité régnant dans les usines d'armement. Elle n'empêcha pas davantage beaucoup de spéculations plus ou moins licites (les marchés de guerre offraient aux affairistes un champ d'activité singulièrement tentant). Elle n'empêcha pas enfin les garçons et les filles, souvent affranchis de la surveillance paternelle, de prendre une liberté d'allure qui aurait fort effarouché en 1913. Dans l'ensemble pourtant, la tenue des civils ne se révéla pas trop indigne de l'abnégation des combattants. Les femmes en particulier se montrèrent pleinement à la hauteur des responsabilités nouvelles qui leur incombaient.

Dans quelle mesure la presse (la diffusion des informations par radio n'existait pas encore) contribua-t-elle à entretenir ce bon moral ?

Surveillés de près par une censure qui du domaine militaire ne tarda point à s'étendre au domaine politique, conseillés à partir du début de 1916 par la « Maison de la Presse », ancêtre des futurs ministères de l'Information, les grands journaux ne cessèrent pas, pendant toute la guerre, d'amplifier les nouvelles encourageantes et de laisser dans l'ombre celles qui ne l'étaient pas ; leurs chroniques militaires étaient rédigées sous le contrôle de l'État-major et ne faisaient guère que commenter les communiqués du G. Q. G. ; les auteurs de talent qui écrivaient dans leurs colonnes manifestaient, en toutes circonstances, le plus réchauffant optimisme. Sans doute quelques feuilles se montrèrent moins conformistes, mais leur audience demeura assez restreinte. Au total, l'effet cherché fut obtenu et les combattants eurent beau plaisanter le « bourrage de crâne », ce « bourrage » fut incontestablement efficace.

Au-delà d'ailleurs et plus profondément, une foi spontanée soutint constamment la nation : la foi dans le bon droit de la France. Sous diverses influences il s'y ajouta, surtout à compter de 1917, un sentiment d'ordre plus général : cette guerre, voulue par l'Allemagne, ne devait pas avoir seulement pour indispensable résultat de nous rendre l'Alsace-Lorraine, elle devait aussi instaurer partout le règne de démocraties pacifiques, elle devait être « la dernière des guerres ». On ne comprendrait pas l'engouement manifesté par presque tous les Français pour la personne du président Wilson — cependant si rudement combattu chez lui — si l'on ne tenait pas compte de cet esprit de croisade.

Un point à signaler est la régression de l'anticléricalisme. Les ecclésiastiques en état de porter les armes — y compris les religieux que les lois sur les congrégations avaient contraints à l'exil — furent appelés avec les hommes de leur classe. Dans les tranchées ou les ambulances ils se montrèrent bons compagnons ; plusieurs milliers d'entre eux furent tués, et leur sacrifice fit tomber bien des préventions ; simultanément l'angoisse ramena au pied des autels nombre d'épouses, maîtresses ou mères de combattants ; enfin les catholiques français témoignèrent constamment du plus exclusif patriotisme et ne furent pas sans s'indigner des tentatives de médiation esquissées par le pape Benoît XV : les incroyants leur surent gré de cet oubli du caractère universel de l'Église. Bref, s'il s'en faut de beaucoup qu'à l'armistice la masse populaire française soit rechristianisée, au moins a-t-elle cessé d'être antireligieuse. Clemenceau surprendra quand il empêchera le président de la République et les ministres d'assister au *Te Deum* qui sera célébré à Notre-Dame de Paris en l'honneur de la victoire.

**

S'il est vrai, comme prétendra André Gide, qu'on ne fasse pas de bonne littérature avec de bons sentiments, ou si, plus exactement, la bonne littérature a besoin pour s'épanouir d'un climat de liberté, le conformisme intellectuel qui, bon gré mal gré, s'impose à une nation en armes ne saurait être très favorable à l'éclosion d'œuvres puissantes. Néanmoins les quatre années de guerre sont loin, sur le plan littéraire, d'avoir été stériles.

Sans doute beaucoup de gens de lettres ont-ils été mobilisés et la mort a-t-elle fait parmi eux des ravages. A l'armistice la liste funèbre établie par le *Bulletin des Ecrivains* comprend 560 noms : Ernest Psichari, Charles Péguy, Alain-Fournier, Guy de Cassagnac et Charles Muller ont été tués dès 1914 ; la dernière victime a été Guillaume Apollinaire qui, engagé volontaire bien que de nationalité polonaise, blessé à la tête en 1916, est mort, trois jours avant l'armistice, en partie des suites de sa blessure.

D'autre part les auteurs — au moins les auteurs en renom — que leur âge ou leur état de santé a maintenus loin des armées ont très souvent jugé de leur devoir de mettre leur plume au service de la défense nationale, quitte à sacrifier quelque chose de leur sens critique. Barrès, un des plus ardents et des plus nobles, écrira dans ses *Cahiers* :

« Les écrivains français qui n'avaient pas l'honneur d'être utiles à la guerre ne valent que par l'attitude intellectuelle qu'ils ont eue au cours des événements et quant au salut public... Je ne pouvais rien que sur la situation morale. J'essayai d'y être utile. »

Cette littérature « engagée » (comme on dira plus tard) n'a toutefois pas été la seule et nombre de livres publiés au cours des hostilités ont manifesté à la fois indépendance et originalité de pensée.

Plusieurs sont des livres de « témoignage » écrits par des combattants : les plus émouvants sont peut-être *La Vie des Martyrs* et *Civilisation* de Georges Duhamel qui, médecin militaire de réserve, a pu en cette qualité sonder le fond de la souffrance humaine. Plus âpre, plus baigné d'horreur, *Le Feu*, par l'engagé volontaire Henri Barbusse, a suscité de vives protestations mais il a valu à son auteur le prix Goncourt. Nombre de témoignages sincères on été aussi publiés dans les petits journaux rédigés au fond des tranchées, notamment dans le satirique et truculent *Crapouillot* fondé en 1915 par le fantassin Galtier-Boissière.

Parallèlement au courant réaliste, il s'en est manifesté un autre qui, tout en frôlant la guerre, en esquivait délibérément les horreurs et où se mêlaient en proportions diverses bonne humeur, tendresse, fantaisie, cocasserie, narquoiserie. En relèvent le joyeux *Gaspard* de René Benjamin, les poèmes écrits sur le front par Apollinaire *(Ah ! Dieu ! que la guerre est jolie. Avec ses chants, ses longs loisirs...)*, les *Lectures pour une Ombre* de Jean Giraudoux, si joliment précieuses, l'aimable et sensuelle *Mitsou* par Colette, la facile *La Guerre, Madame* par Paul Géraldy, et aussi les très amusants *Silences du colonel Bramble* par André Maurois.

Ces ouvrages ont été écrits comme en marge du drame, mais il en est paru d'autres d'où le drame est complètement absent. Citons dans deux genres bien différents, le poème de *La Jeune Parque* que Paul Valéry, silencieux depuis 1896, se décida à donner en 1917, et le *Koenigsmark*, publié en 1918 au *Mercure de France* dans lequel Pierre Benoît renouvela, d'une plume experte, le roman d'aventure.

Très éloigné aussi de l'actualité est cet *A l'ombre des jeunes filles en fleurs* auquel Marcel Proust, reclus dans une chambre capitonnée, met la dernière main quand est signé l'armistice.

Au cours des années tragiques, un seul écrivain français de marque a porté ses regards sur l'ensemble de l'Europe en flammes et a dénoncé les fureurs qui dressaient ses peuples les uns contre les autres : Romain Rolland, le tolstoïsant, l'admirateur de l'Allemagne des musiciens. Établi en Suisse, il y a, au début de la guerre, publié une série d'articles qui, en 1916 ont été réunis en volume sous le titre *Au-dessus de la Mêlée*. Livre par endroits prophétique mais qui a paru scandaleux alors que tant de jeunes hommes versaient leur sang au sein de cette même mêlée. L'idéalisme un peu naïf de Rolland finira par en faire un admirateur des Soviets et un révolutionnaire.

Révolutionnaires aussi, mais plutôt de l'espèce nihiliste, sont quelques poètes mobilisés — notamment André Breton, Paul Éluard, Philippe Soupault et Louis Aragon —

qui, dans les petites revues *Sic* et *Nord-Sud,* célèbrent avec une âpre violence le culte de l'irrationnel et de l'instinctif. *Dandies* à leur manière, ils le sont dans un style fort différent de celui qui était à la mode avant la guerre, chez certains jeunes bourgeois cultivés. Leur agressivité s'est précisée quand, par l'intermédiaire du peintre cubiste Picabia, ils ont eu connaissance du mouvement *Dada* lancé à Zurich en 1916 par le Roumain Tristan Tzara et les réfractaires allemands Hugo Ball et Hans Arp (*Dada* se définit « une révolte permanente de l'individu contre l'art, la morale et la société »). Désormais le « surréalisme » — vocable forgé par Apollinaire — est né : tout en devant quelque chose au « futurisme » et à un certain « gidisme » (celui des *Caves du Vatican*), il est essentiellement une manifestation du désarroi lourd d'amertume dans lequel les années de tourmente ont jeté nombre de jeunes esprits.

Pendant ces mêmes années le théâtre, plus étroitement contrôlé par la censure que la librairie, a surtout donné soit des pièces patriotiques, soit des pièces légères destinées à « détendre » les permissionnaires. Une exception à ce conformisme fut celle du ballet *Parade,* argument de Jean Cocteau, musique d'Érik Satie, chorégraphie du Russe Massine ; mais sa fantaisie à la fois débridée et raffinée choqua beaucoup de spectateurs.

Music-halls et cafés-concerts eurent un public enthousiaste, les premiers s'orientant de plus en plus vers la revue à grand spectacle (en 1915 celle des Folies-Bergères s'intitulait *Jusqu'au bout*), les seconds lançant des refrains que les « poilus » rapportaient ensuite au front. (Quel ne fut pas le succès de *La Madelon,* voire de certaines chansons militaires anglaises comme *Rose of Picardy* ou *Tipperary !*) Quant au cinéma, sa vogue est allée constamment croissant; il a attiré des foules avec des mélos policiers du type *Mystères de New York* et *Judex*; en 1918 il a apporté une révélation : celle des courtes bandes où Charlie Chaplin, dit Charlot, prodiguait ses trouvailles de pitre génial.

De même qu'on a continué d'écrire, de même a-t-on continué à peindre. Moins toutefois, car il est plus facile d'installer une écritoire dans un abri qu'un chevalet. Nombre d'artistes appartenant à l'« École de Paris » étaient d'ailleurs des étrangers qui, la guerre venue, sont retournés dans leur pays. Quant aux autres, une sorte de censure morale s'est exercée sur eux et l'on taxait volontiers d'antipatriotiques les tableaux malaisément intelligibles.

Plusieurs de ces peintres n'en ont pas moins continué leurs recherches. Si Braque, dangereusement blessé en 1915, et Fernand Léger, gazé en 1916, ont provisoirement perdu le goût de la palette, si Derain s'est principalement attaché à sculpter des masques dans des douilles d'obus, en revanche Picasso a approfondi les formules du cubisme synthétique, Matisse a produit au Maroc et à Nice quelques-unes de ses œuvres maîtresses, La Fresnaye s'est orienté vers un néo-classicisme décoratif, Rouault a illustré d'hallucinante manière l'*Ubu Roi* d'Alfred Jarry. Sur un tout autre registre le vieux symboliste Odilon Redon a peint, dans une fièvre croissante, des tableaux toujours plus inondés de lumière.

Pour la sculpture, elle n'a donné que de rares œuvres importantes dont la *Statue équestre du général Alvear*, par Maillol. Auguste Rodin est mort chargé d'honneurs en 1917. Un jeune talent s'est révélé en la personne de l'ancien « camelot du roi », mutilé de guerre, Real del Sarte. Après l'armistice, la multiplication des monuments aux morts va ouvrir aux sculpteurs un champ nouveau qu'ils n'exploiteront pas toujours avec bonheur.

En architecture, à peu près rien que des bâtiments industriels à moins que l'on ne considère comme relevant de cet art le prodigieux travail de sape et de boisage qui n'a cessé d'être poursuivi sur le front. Mais tant de villes détruites autorisent les architectes novateurs à concevoir les plans les plus ambitieux.

Pour la musique, elle a perdu une notoriété, Albéric Magnard, tué en 1914, et une gloire, Claude Debussy (« Claude de France », disaient ses admirateurs), mort en 1918. Les œuvres de Wagner ont été expulsées des programmes mais, en dépit des affirmations intéressées de Saint-Saëns, le vide ainsi créé n'a pas été comblé.

Au total, si bien des talents ont été fauchés dans leur fleur, l'esprit de création a survécu en France. Affaiblie, la flamme qui brillait si fort au cours des années ayant immédiatement précédé la guerre ne s'est point éteinte. Seulement, à en faire l'analyse spectrale on découvrirait, dansant en son milieu, quelques particules de substances corrosives.

*
* *

Il est remarquable que tant de secousses n'aient pas profondément ébranlé le régime constitutionnel.

Au début du siècle plusieurs projets avaient été élaborés pour préciser le fonctionnement des pouvoirs publics en cas de guerre. Aucun n'ayant abouti, la France entra dans la tourmente politiquement régie par la Constitution de 1875 et nulle modification ne fut apportée à celle-ci pendant les hostilités.

Au début, les Chambres s'étant ajournées *sine die*, le Grand Quartier Général exerça une dictature de fait, ceci d'autant plus que Millerand, le ministre de la Guerre, se considérait moins comme un contrôleur que comme un auxiliaire du commandement. Mais, à la fin de 1914, le Parlement se réunit de nouveau pour ne plus cesser de revendiquer et d'exercer ses droits.

Le fit-il abusivement et au détriment de la Défense nationale ? D'aucuns, militaires et civils, l'en ont accusé : ce n'est nullement certain.

Sans doute les préoccupations électorales et les questions de personnes obscurcirent-elles parfois chez les parlementaires le souci de l'intérêt général ; sans doute les Assemblées témoignèrent-elles, à plusieurs reprises, d'une excessive nervosité ; sans doute trop d'intrigues se nouèrent-elles dans leurs couloirs ; sans doute des indiscrétions furent-elles commises. Voire arriva-t-il que certaines propositions faites du haut de la tribune ou en commissions empiétassent fâcheusement sur les attributions du commandement. Il semble pourtant que, dans l'ensemble, la conduite de la guerre n'ait point pâti, au contraire, d'un contrôle parlementaire que l'Union sacrée protégeait le plus souvent contre les déviations partisanes.

Accélération de la fabrication des munitions, du matériel lourd, et plus tard des chars d'assaut, développement de l'aviation, meilleure organisation du service de Santé, du service de l'Intendance et de la mobilisation industrielle, institution et régularisation des tours de permission : autant de mesures sur lesquelles insistèrent les commissions compétentes du Sénat et de la Chambre et dont, sans elles, l'exécution se serait peut-être heurtée à l'esprit de routine des états-majors et des administrations. Au-delà même des questions techniques, les rapports faits officieusement par les parlementaires mobilisés ou officiellement par les délégués des commissions apportèrent souvent d'utiles suggestions ; enfin, la lecture des procès-verbaux des Comités secrets révèle que, parmi un certain nombre de niaiseries, des idées furent émises à la tribune des Assemblées qui allaient fort loin dans l'appréciation réaliste des faits.

Aussi bien, en dépit du privilège dont ils pouvaient se réclamer, députés et sénateurs ne furent-ils pas exempts de l'impôt du sang : dix-neuf d'entre eux furent tués et davantage grièvement blessés soit sous l'uniforme soit en accomplissant des missions de contrôle. Quoi qu'en ait parfois dit une presse qui prenait ses inspirations au G. Q. G., le patriotisme manifesté au Palais-Bourbon comme au Luxembourg n'était pas purement verbal.

A la suite de l'affaire Dreyfus, le commandement avait été tenu longtemps en suspicion par la majorité parlementaire. Par réaction le commandement, pendant la guerre, eut tendance à se méfier systématiquement du Parlement. La seconde de ces préventions comporta la même part d'injustice que la première.

Rappelons que la Chambre de la guerre fut celle dont la majorité avait été élue au printemps de 1914 contre la loi de trois ans ; cela ne l'empêcha pas de montrer moins d'impatience que n'en manifesta le Reichstag allemand. Un seul ministère, le faible ministère Painlevé, fut renversé par elle, les autres n'ayant succombé qu'à des dissentiments internes. Ajoutons que, lorsqu'il apparut que la politique risquait de se faire envahissante et de compromettre l'intérêt national, les parlementaires acceptèrent sans résistance de se courber sous la poigne de Clemenceau. Celui-ci d'ailleurs, avant son accession au pouvoir, n'avait pas été le moins ardent à la critique ; devenu en fait maître absolu il s'attacha à sauvegarder les formes du régime et peut-être fut-ce là un des secrets de sa popularité auprès d'un peuple qui, dans sa grande masse, n'avait pas cessé d'être républicain.

Avec toutes leurs imperfections mais grâce à leur extrême souplesse, les institutions de la Troisième République ont relativement bien fonctionné au sein de circonstances en vue desquelles elles n'avaient à coup sûr pas été créées. Le patriotisme empêcha qu'il ne fût fait un usage abusif des libertés qu'elles permettaient, et sans doute ces libertés constituèrent-elles un exutoire utile à des amertumes, à des mécontentements qui, sans elles, eussent pu exploser avec violence.

Maurras et ses disciples avaient pendant des années répété que le régime était, par nature, hors d'état de mener une guerre à bien, et leur opinion n'était pas loin d'être partagée par leurs adversaires. *Faites la paix, sinon faites un roi :* tel était le titre d'un livre publié par le député socialiste Marcel Sembat. Pourtant, sans roi, la France est sortie victorieuse d'une terrible guerre, tandis qu'en Europe d'antiques et altières monarchies s'écroulaient sous le poids de la défaite.

Paradoxalement, ce sera la paix, avec les problèmes entièrement inédits qu'elle posera, qui provoquera la perversion graduelle du régime. Mais ceci est une autre histoire et ne saurait, dans le bilan de la guerre 1914-1918, être porté au passif français.

CONCLUSION

A OUT 1914 : Début de la fin d'un monde. La fragilité apparaît de cette République européenne qui, divisée à l'intérieur mais à peu près unie à l'extérieur, était parvenu à force d'esprit inventif, d'excellence technique et d'énergie méthodique, à établir presque partout dans l'ancien monde sa suprématie soit politique, soit économique.

Sous la pression des passions déchaînées, les vernis craquent, laissant voir le tuf : l'Allemand sent bouillonner en lui les ferments sauvages nés à l'ombre de la forêt ancestrale et commet des atrocités ; l'Anglais oublie son flegme, son pacifisme et se retrouve le John Bull sanguin, serrant les poings et résolu à boxer jusqu'à ce que soit abattu l'adversaire qui a osé se dresser contre lui ; le Russe perd sa croûte d'Occidental et redevient le demi-Asiatique confusément mystique, sensible aux mirages, tantôt résigné, tantôt furieux, capable aussi bien d'abnégation que de férocité ; l'Austro-Hongrois manifeste qu'il n'est qu'un composé d'éléments hétérogènes prêts à se dissocier sous tout choc un peu rude.

Quant au Français, c'est le terrien, le paysan, le Jacques Bonhomme farouchement attaché au sol natal qui surgit en lui. L'enthousiasme avec lequel la nation a pris les armes s'explique par l'instinct du propriétaire qui défend, la fourche au poing, son bien menacé. A l'appel de Wilson, à côté de cet instinct s'en réveille un autre, vieux en France comme la Révolution de 1789, voire comme les Croisades : l'instinct de propagande. Ces deux instincts s'incarneront dans la personne de Clemenceau. Le second toutefois n'aura jamais la force du premier et, même quand le

« poilu » se persuadera que « le triomphe des démocraties pacifiques » sortira de ses souffrances, il continuera à se battre surtout pour libérer le terroir français ou, plus concrètement, pour empêcher l'ennemi de pénétrer dans ce boyau, pour le chasser de cet abri qui ont été creusés dans le terroir français.

Le « provincialisme » à propos duquel l'étranger nous raillait parfois est devenu générateur d'héroïsme.

Générateur aussi d'une certaine myopie. Pendant la lutte, bien rares sont ceux qui se sont demandé quelle serait, à son issue, la situation de l'Europe, celle du monde, et quelle place y tiendrait la France. « Je fais la guerre », répétait Clemenceau et toute autre préoccupation paraissait quasi sacrilège. Au lendemain de l'armistice, parce que l'ennemi a été bouté hors du territoire, parce que l'Alsace-Lorraine a été récupérée, presque tous les Français sont convaincus que leur patrie va prendre la tête d'un ordre européen qui ne différera fondamentalement de l'ancien que par l'élimination de l'Allemagne.

Comment en effet, à vue superficielle, ne pas croire au durable établissement d'une prépotence française ? Foch, qui a conduit les troupes alliées à la victoire, en reste le commandant en chef. Franchet d'Esperey dicte sa loi sur les bords du Danube. On annonce que la Conférence de la Paix se tiendra à Paris. Les regards de l'univers sont tournés vers notre capitale et la plupart des chefs d'État alliés y sont attendus. Si jamais des « lendemains qui chantent » ont pu sembler s'ouvrir à la France, c'est bien dans cette glorieuse mi-novembre 1918.

Hélas ! on oublie l'effroyable hémorragie qui a vidé le pays de son sang le plus pur, les immenses destructions matérielles, l'écrasant endettement, la perte des richesses naguère possédées à l'étranger, le franc privé de sa base. Ou si l'on s'en souvient, ce n'est que pour dire : « On ne peut faire que l'Allemagne ressuscite les morts, mais quant au reste, elle le paiera. » On ne se demande point comment.

On oublie aussi que les alliances, dont il n'a pas toujours été aisé d'assurer la cohésion pendant la guerre, risquent fort de se rompre à la paix. Plusieurs signes montrent déjà les égoïsmes nationaux prêts à se réveiller, les méfiances prêtes à s'exaspérer.

On oublie enfin que, si la France a fourni le plus dur

effort, ce n'en est pas moins à des concours extérieurs qu'elle a dû sa victoire. L'aide des États-Unis en particulier — aide en hommes, aide en matériel, aide en argent, aide morale — a été décisive et dès avant l'armistice le président Wilson a pu se poser en chef de la coalition. Il va dominer la Conférence de la Paix et un de ses premiers gestes sera pour exiger que le français perde son privilège de seule langue diplomatique. Exigence symbolique qu'en 1871 les Allemands vainqueurs ne s'étaient pas permis de manifester.

Maurice Barrès et, avec lui, beaucoup de patriotes espèrent que la tension héroïque du temps de guerre ne se relâchera pas pendant la paix et que la nation française régénérée va proposer au monde un exemple de grandeur morale, d'énergie disciplinée.

Flatteuse illusion s'ajoutant à d'autres. La saignée a été trop forte pour ne pas entraîner une dépression, les souffrances trop grandes pour ne pas provoquer un besoin de jouissances. Assurément l'époque qui s'ouvre en France ne sera point stérile : ni les talents n'y manqueront ni les bonnes volontés. Elle verra de belles réussites industrielles ; elle verra Louis de Broglie révéler au monde savant la mécanique ondulatoire ; elle verra aussi une magnifique efflorescence littéraire : elle n'en sera pas moins marquée aux stigmates de la fatigue.

Le fléchissement sera particulièrement sensible dans le domaine politique. Née au lendemain de la défaite de Sedan, la Troisième République avait été soutenue, plus ou moins consciemment, par une pensée secrète : en appeler de l'humiliation subie en 1870-1871. Tout va se passer comme si, la grande espérance remplie et l'Alsace-Lorraine recouvrée, le régime avait égaré sa boussole.

Ne chargeons pas les Français : le drame qu'ils ont vécu explique leurs défaillances. Aussi bien leur cas ne constitue-t-il qu'un des aspects d'un phénomène plus ample : le déclin européen.

L'Europe d'avant 1914, d'avant 1906 surtout, présentait une réussite merveilleuse. C'était vraiment par une sorte de miracle, renouvelé du miracle grec, que ce «petit cap an bout du continent asiatique » était parvenu à proposer son exemple et à imposer sa loi à la plus grande partie du reste du monde.

Miracle dû à une supériorité technique et à un ascendant moral.

La supériorité technique va pour une bonne part disparaître : à la faveur de la guerre les pays extra-européens se sont de mieux en mieux équipés et ont appris à se passer des fabrications européennes. Les vastes espaces et les abondantes ressources en matières premières dont beaucoup de ces pays disposent leur confèrent, dans un temps où la production de masse se substitue de plus en plus à la production de qualité, un avantage manifeste. L'Europe ne pourrait lutter victorieusement qu'en se constituant en une large et homogène unité économique. Elle va faire exactement le contraire : couvertes de ruines, affolées par l'effondrement de leurs monnaies, les puissances européennes se cloisonneront toujours davantage, s'entoureront de barrières toujours plus hautes et, aux entraves apportées à la libre circulation des marchandises, elles ajouteront des entraves à la liberté de circulation des personnes. Au milieu du xixe siècle Philéas Fogg pouvait décider le matin de faire *le Tour du Monde en quatre-vingts jours* et partir le soir : après 1918, pour n'aller que de Londres à Athènes à travers le continent, il faudra passer des semaines à solliciter devises, passeports et visas. Tant de murailles, tant de réglementations, tant de suspicions mettront les Européens en médiocre condition pour prendre la tête de la grande révolution technique qui tendra à remplacer l'homme, pour les travaux les plus fastidieux, par des esclaves mécaniques.

Quant à l'ascendant moral de l'Europe, il ne pouvait survivre à la « guerre civile » qui a jeté ses peuples les uns contre les autres en une mêlée furieuse. Pour les besoins de leur cause, ces peuples ont fait appel aux nations exotiques. Des propagandes haineuses se sont déchaînées, de réciproques injures ont été diffusées jusqu'aux extrémités de la terre. Bien que cette bataille verbale ait tourné à l'avantage de l'Entente, elle n'a pas laissé de susciter chez ses témoins une méfiance générale à l'égard de tous les combattants.

Ajoutons qu'au plus fort de la mêlée, un grand pan de

l'édifice européen s'est effondré : la Russie a brutalement secoué les bases sur lesquelles il reposait et la voici maintenant qui s'apprête, parmi les massacres, à construire un édifice de style entièrement nouveau destiné, dans la pensée de ses architectes, à finir par abriter le monde entier.

De conséquence moins incalculable, mais pourtant d'une poignante gravité, a été la dislocation de l'Autriche-Hongrie. La Monarchie dualiste présentait quelque chose d'artificiel et elle était tracassière. Elle n'en constituait pas moins une Société des Nations au petit pied qui avait cet immense avantage de grouper pacifiquement, au point le plus sensible de l'Europe, des races portées à se détester mutuellement et d'ailleurs inextricablement enchevêtrées. Sa disparition, outre qu'elle anéantira une très importante unité économique, donnera libre cours aux revendications les plus contradictoires formulées par des nationalismes agressifs. Elle suscitera aussi chez les Allemands une tentation infiniment dangereuse. Avant 1914 on parlait volontiers des Balkans comme d'une « poudrière » et, effectivement, c'est à propos des Balkans qu'a éclaté la première conflagration mondiale. La « balkanisation » de l'Autriche-Hongrie va susciter une nouvelle poudrière plus explosive encore : on le verra en 1938 et 1939. (Ajoutons que la rupture de l'Empire ottoman et le réveil concomitant du nationalisme arabe en créeront une troisième.)

« Nous autres, civilisations, nous savons maintenant que nous sommes mortelles », écrira bientôt Paul Valéry. La guerre de 1914-1918, si elle n'a pas tout à fait tué la civilisation européenne, lui a porté un coup dont, quarante ans plus tard, elle sera encore bien loin de s'être relevée.

Certes, sous l'action conjuguée des découvertes scientifiques, du développement du machinisme et de la diffusion de l'instruction, sous la pression aussi d'une classe ouvrière de plus en plus nombreuse et de mieux en mieux organisée, cette civilisation eût en tout cas subi des transformations profondes : elle serait devenue plus mécanique, plus « planifiée », moins individualiste et plus sociale. Mais ces transformations seraient sans doute intervenues progressivement, sans désordres graves, et elles se fussent accompagnées d'une amélioration constante des niveaux de vie. La guerre, par les ruines qu'elle a accumulées et plus encore par les haines qu'elle a déchaînées, a fait s'évanouir ces raisonnables espérances.

Jusqu'à ce qu'éclate la seconde guerre mondiale, conséquence de la première, la France va, sous un régime politique inchangé dans la forme, désorienté dans le fond, mener une existence fiévreuse. Bien qu'agrandie des chères provinces d'Alsace et de Lorraine, bien qu'ayant joint le Cameroun, le Togo et la Syrie à son empire d'outre-mer, elle parviendra difficilement à réparer les pertes de substance éprouvées pendant les quatre années sanglantes. Déçue par ses anciens alliés, effrayée du relèvement de son ancienne ennemie, elle se verra ballottée entre des nostalgies stériles et des aspirations contradictoires. Comme un fiévreux sur sa couche, elle se tournera et se retournera sans parvenir à la quiétude.

Son peuple cependant ne perdra ni son génie inventif, ni son âme courageuse. A travers les pires vicissitudes, il prouvera qu'il ne faut jamais désespérer de lui.

TABLE DES MATIÈRES

CHAPITRE V

L'ANNÉE DE VERDUN

CHAPITRE VI

L'EUROPE VACILLE

CHAPITRE VII

RÉVOLUTION BOLCHEVIQUE ET RUÉES ALLEMANDES

CHAPITRE VIII

LA VICTOIRE

CHAPITRE IX

BILAN DE LA GUERRE